Uni-Taschenbücher 1906

UTB
FÜR WISSEN
SCHAFT

Eine Arbeitsgemeinschaft der Verlage

Wilhelm Fink Verlag München
Gustav Fischer Verlag Jena und Stuttgart
Francke Verlag Tübingen und Basel
Paul Haupt Verlag Bern · Stuttgart · Wien
Hüthig Fachverlage Heidelberg
Leske Verlag + Budrich GmbH Opladen
J. C. B. Mohr (Paul Siebeck) Tübingen
Quelle & Meyer Heidelberg · Wiesbaden
Ernst Reinhardt Verlag München und Basel
Schäffer-Poeschel Verlag · Stuttgart
Ferdinand Schöningh Verlag Paderborn · München · Wien · Zürich
Eugen Ulmer Verlag Stuttgart
Vandenhoeck & Ruprecht in Göttingen und Zürich

Willi Oelmüller–Ruth Dölle-Oelmüller

Grundkurs
Philosophische Anthropologie

Wilhelm Fink Verlag, München

Die Deutsche Bibliothek – CIP-Einheitsaufnahme

Oelmüller, Willi:
Grundkurs philosophische Anthropologie / Willi Oelmüller;
Ruth Dölle-Oelmüller. – München: Fink, 1996
   (UTB für Wissenschaft: Uni-Taschenbücher; 1906)
   ISBN 3-8252-1906-2 (UTB)
   ISBN 3-7705-3090-X (Fink)
NE: Dölle-Oelmüller, Ruth;
   UTB für Wissenschaft / Uni-Taschenbücher

©1996 Wilhelm Fink Verlag GmbH & Co. KG
Ohmstraße 5, 80802 München
ISBN 3-7705-3090-X

Printed in Germany
Einbandgestaltung: Alfred Krugmann, Freiberg am Neckar
Herstellung: Ferdinand Schöningh GmbH, Paderborn

UTB-Bestellnummer: ISBN 3-8252-1906-2

Zwei Übertreibungen:
Ausschluß der Vernunft. - Nur die Vernunft gelten lassen.

Blaise Pascal

Vorwort

Mit Staunen und Erschrecken stellen Menschen in verschiedenen Situationen und an verschiedenen Orten etwa solche Fragen: Was bin ich? oder: Was bist du doch für ein Mensch? Was ist der Mensch, seine Größe und sein Elend? Kinder stellen oft ihre keineswegs kinderleichten, sondern 'kinderschweren' Warum-Fragen. Freunde und Lebensgefährten sind beglückt, bedrückt, sprachlos über sich und den anderen. Wissenschaftler, Techniker, Ärzte, Politiker, Journalisten stehen nicht selten vor der Entscheidung: Dürfen wir das noch Menschen antun? Alleingelassene und Sterbende fragen sich, ihre Mitmenschen, Gott, ob ihr Leben noch ein menschliches Leben ist in einer menschlichen Welt. Fast täglich sehen wir im Fernsehen Bilder von ethnischen Säuberungen und barbarischen Schlächtereien, z.B. auf dem Balkan und in Afrika. Wir werden an Auschwitz und andere Verbrechen erinnert. Wir hören dann die alten und neuen religiösen und nichtreligiösen Erklärungen und Tröstungen. Am Ende bleibt nach allen Protesten und Betroffenheitsbekundungen über die nicht bewältigte Unmenschlichkeit des Menschen die Frage: Warum ist der Rückfall der Menschen in die Barbarei nicht nur möglich, sondern wirklich? Es stellt sich immer wieder die Frage: Was ist der Mensch?

Der 'Grundkurs. Philosophische Anthropologie' möchte Lernenden (Studenten der Philosophie, aber auch anderer Studienfächer) in Seminaren und im Selbststudium, Lernenden und Lehrenden an Schulen (im Philosophie-, Ethik-, Religions- und Pädagogikunterricht) und in anderen Bildungsinstitutionen Zugänge zu solchen und ähnlichen oft vergessenen und verdrängten Fragen und Antworten auf sie aus der Geschichte und Gegenwart eröffnen sowie einige Anregungen für die Behandlung solcher Fragen geben. Der erste Teil behandelt Fragen und Antwortversuche auf drei verschiedenen Ebenen und zu verschiedenen Zeiten. Der zweite Teil erläutert diese Fragen und Antwortversuche an exemplarischen Texten. Die Thesen und Überlegungen haben wir in den letzten Jahren so oder ähnlich in West- und Ostdeutschland an Universitäten, im Philosophie- und Ethikunterricht, bei Ausbildungs- und Weiterbildungstagungen von Lehrern und in Akademien zur Erwachsenenbildung zur Diskussion gestellt.

Münster, im September 1995

Willi Oelmüller   Ruth Dölle-Oelmüller

Inhalt

Zweiter Teil: Zugänge zur philosophischen Anthropologie (Ruth Dölle-Oelmüller)

Inhalt

Willi Oelmüller

Erster Teil:

Einführung in die philosophische Anthropologie

I.1. Anthropologie als Antwortversuche auf die Frage, was der Mensch ist, auf verschiedenen Ebenen

Anthropologie (Lehre vom Menschen) nennen wir **in einer weiten Bedeutung** Antwortversuche auf die Frage, was der Mensch ist, auf verschiedenen Ebenen und mit verschiedenen sprachlichen Darstellungsmitteln.[1] Menschen leben, denken, handeln, hoffen und sterben unter vielen nicht selbst gewählten Bedingungen der außermenschlichen und menschlichen Natur, der Gesellschaft und der Kultur. Langfristige Wandlungen (z.b. Klimaveränderungen, Seßhaftwerdung, Städtebau, Industrialisierungen und Modernisierungsprozesse) sowie kurzfristige Ereignisse (z.B. Naturkatastrophen, Revolutionen) verändern Lebensbedingungen der Menschen. Der Zufall der Geburt entscheidet oft, ob Menschen gesund oder krank, reich oder arm sind, ob ihre Lebenswelt menschenfreundlich oder menschenfeindlich ist. Der Mensch ist in der Natur sowie in der Gesellschaft und Kultur situiert, verwurzelt. Er ist jedoch nicht durch die Natur sowie durch die Gesellschaft und Kultur determiniert, festgelegt. In der Geschichte und Gegenwart haben Menschen immer wieder gezeigt, daß sie im Unterschied

---

[1] S. hierzu den 'Bibliographisch-biographischen Anhang' von: W. Oelmüller - R.Dölle-Oelmüller - C.-F. Geyer, Diskurs: Mensch, Philosophische Arbeitsbücher 7, UTB 1379, Paderborn u.a. [3]1993, 342-397; in ihm werden 211 Werke kurz charakterisiert, die für eine intensive Beschäftigung mit dem Thema 'Mensch' / 'Anthropologie' hilfreich sind. (Einfache Zahlenangaben im Text beziehen sich auf die Seitenzahlen dieses Bandes.) Begriffe und Fremdwörter, die der Rechtschreibduden erklärt, werden in der Regel nicht erläutert. Ausführlichere Textauszüge zu den in diesem Ersten Teil entwickelten Zusammenhängen sind im Zweiten Teil abgedruckt.

zu anderen biologischen Lebewesen die engen Grenzen ihrer Lebenswelt sprengen und weltoffen mit Erstaunen und Entsetzen über sich und die Welt fragen, wer sie eigentlich sind.

Das zeigt sich schon im Umgang der Menschen miteinander im alltäglichen Zusammenleben. Wir reagieren auf die Frage, wer wir sind, je nach Situation verschieden. Wir nennen unseren Namen, wir zeigen unseren Paß, wir stellen uns auf verschiedene Weise vor. Wir erzählen aus unserer Lebensgeschichte: von unseren Eltern, Verwandten und Freunden, von unserer Heimat sowie von glücklichen und bösen Widerfahrnissen, die unser Leben verändert haben. Menschen, die sich näher kennen, erzählen von dem, was ihre bisherige Lebensgeschichte, ihre heute so genannte personale und soziale Identität bestimmt und geprägt, verletzt und zerstört hat. Schon Kinder stellen angesichts unbegreiflicher menschlicher Schicksale ihre kinderschweren Warum-Fragen, etwa: warum stirbt Oma? warum tut Gott das?, Fragen, die oft auch ältere Menschen sprachlos machen. Nicht nur Kindern erzählt man seit alters Märchen und Sagen, wenn man ihnen bewährte Lebenserfahrungen mitteilen will. Das zeigen z.B. die Märchen und Sagen von Aschenputtel, Hans im Glück, Philemon und Baucis und viele andere mehr. Freunde und Lebenspartner fragen sich und den anderen nicht selten mit Erstaunen oder Entsetzen: was bin ich bzw. was bist du doch für ein Mensch? Dann versuchen sie über nichtalltägliche menschliche Erfahrungen zu sprechen, weil sie darüber nicht schweigen können.

Auch Mythen und Religionen, die Künste und Dichtungen sowie die Philosophien und Wissenschaften vom Menschen sind Antwortversuche mit sprachlichen und nichtsprachlichen Darstellungsmitteln auf nichtalltägliche letzte Fragen der Menschen nach sich selbst und ihrer Welt.

Antwortversuche auf die Frage, was der Mensch ist, können für uns heute, wenn sie glaubwürdig sind und nachdenklich machen wollen, von Erfahrungen und Einsichten auf drei verschiedenen Ebenen ausgehen:

- von Antwortversuchen am Beginn der europäischen Geschichte
- von philosophischen und wissenschaftlichen Anthropologien seit dem 18. Jahrhundert
- von philosophischen Antwortversuchen angesichts der gegenwärtigen Überlebens- und Lebensprobleme.

Diese Erfahrungen und Einsichten auf drei Ebenen beschränken sich auf die europäische Welt mit ihren heute nicht mehr selbstverständlichen religiösen und nichtreligiösen Traditionen, die bisher in verschiedener Weise kritisiert sowie kritisch erinnert und weiterentwickelt werden. Jeder weiß oder könnte durch das Fernsehen und andere Medien wissen, daß außerhalb Europas Menschen mit anderen Überlebens- und Lebensproblemen sowie mit anderen religiösen und nichtreligiösen Traditionen leben, die auch für sie durch Modernisierungsprozesse nicht mehr selbstverständlich sind. Das notwendige Gespräch mit diesen Menschen, auch mit denen, die bei uns leben, setzt die Kenntnis unserer eigenen europäischen Welt mit ihren Traditionen voraus.

I.2. Antwortversuche am Beginn der europäischen Geschichte

Am Beginn der europäischen Geschichte gibt es ebenso wie heute auf die Frage, was der Mensch ist, nicht *die* Antwort, sondern viele Antwortversuche, die uns in verschiedenen sprachlichen Darstellungsformen überliefert sind: in Märchen und Mythen, Geschichten und Erzählungen, Abhandlungen und Dialogen, Essays und Fragmenten. Diese Antwortversuche hatten und haben in Europa bis heute für das Selbstverständnis der Menschen eine entscheidende Bedeutung. Theologen und Philosophen, Dichter und Künstler haben diese Antworten immer wieder interpretiert, diskutiert, kritisiert, modifiziert. Die seit der sog. Achsenzeit (ca. 500 v.Chr.), zuerst vor allem in Griechenland und im Vorderen Orient von Juden formulierten Antworten auf die Erfahrungen der Größe und des Elends des Menschen dachten den Menschen **in drei unterscheidbaren letzten Horizonten**.

Letzte Horizonte sind mehr oder weniger bewußte geschichtliche Bedingungen der Möglichkeit von philosophischen Diskursen, die man in angebbaren mittel- oder langfristigen raum-zeitlichen Zusammenhängen unterstellen kann, wenn man sich mit den Lebensformen und Verhaltensweisen der Menschen, mit ihren sozialen Institutionen und mit ihren letzten Wirklichkeitsannahmen, Handlungsorientierungen und Möglichkeiten der Bewältigung von Leiden und Widerfahrnissen auseinandersetzt.

Letzte Horizonte sind mehr oder weniger bewußte Horizonte. Menschen, die sich mit Gründen und Argumenten darüber verständigen, was der Mensch ist, tun das in geschichtlichen Horizonten, die ihnen nicht als Einzelne und nicht 'von Natur' aus immer schon gegeben sind, sondern die ihnen in ihrer geschichtlichen Lebenswelt vorgegeben sind.

Was uns als letzter Horizont des Lebens, des Handelns, des Leidens, des Denkens vorgegeben ist, besitzen wir, wie die Metapher Horizont zeigt, nicht als Gegenstand, und wir können es auch nicht adäquat auf den Begriff bringen. In Bezug auf Gott haben dies die negative Theologie, das jüdische Bilderverbot, das auch im Christentum von Anfang an von vielen übernommen wurde, Pascal, Kant und andere immer wieder gezeigt. Für das, was in den anderen Horizonten mit den Worten Natur und Kultur bezeichnet wird, gilt Ähnliches. Es gibt innerhalb der drei genannten Horizonte der europäischen Geschichte verschiedene Annäherungen an und Denkmodelle für das, was der Mensch ist. Was letzte Horizonte zu denken geben, haben wir nur als vieldeutige Metaphern und Symbole, nicht als definierbare und erkennbare Gegenstände, Ideen und Begriffe, auch nicht als unbewußte Strukturen und Systemmechanismen hinter dem Rücken menschlichen Bewußtseins.[2]

---

[2] Zur ersten Unterscheidung der sehr verschiedenen philosophischen Antwortversuche auf die Frage, was der Mensch ist, sprechen wir von den Horizonten Natur, Kultur und Gott. Da alle vier Begriffe gegenwärtig in den Wissenschaften und in den Philosophien sowie in den Religionen und Mythen außerordentlich verschieden verwendet werden, sind sie sehr erläuterungsbedürftig. Das gilt auch für den Begriff Erfahrungshorizont. Zur Erläuterung dieser und der folgenden Hinweise s. im 'Diskurs: Mensch' (Anm.1) die Texte aus dem Alten Testament, von Sophokles, Platon, Aristoteles, Cicero, Marc Aurel, Augustinus, Thomas von Aquin, Erasmus von Rotterdam, Pascal, Holbach, Rousseau, Herder, Kant, Kierkegaarad, Marx, Darwin, Freud, Gehlen, Luckmann, Lévi-Strauss, Monod, Camus, Adorno, Horkheimer, Marquard, Levinas (65-342), ferner die Angaben zur Biographie der ausgewählten Autoren und zur Diskussion ihrer Positionen (362-397) sowie die Einleitung I 'Zugänge zu einem philoso-

In letzten Horizonten suchen Menschen diesseits der Alternative: eine für alle Menschen universal verbindliche Letztbegründ·ng oder eine historische Bedingtheit, ja Beliebigkeit für ihr Leben, Denken, Handeln, Hoffen, Leiden und Sterben verbindliche letzte Gründe, die sie nicht beliebig zur Disposition stellen.[3]

Deutungen des Menschen zu Beginn der europäischen Geschichte werden gegeben:

1. **im Horizont des einen Gottes**, den man als die eine alles umfassende und bestimmende letzte Wirklichkeit zu denken und zu benennen versuchte,

2. **im Horizont der** vorgegebenen unwandelbaren außermenschlichen und menschlichen **Natur**, die man als letzte Instanz des Lebens, des Denkens, des Handelns und Hoffens verstand,

3. **im Horizont der Kultur**, die man als Inbegriff aller von Menschen geschaffenen sprachlichen und technischen Errungenschaftcn sowie aller sozialen, rechtlichen, politischen, sittlichen und religiösen Institutionen verstand.

---

phischen Diskurs: Mensch in den Erfahrungshorizonten Gott, Natur, Kultur' (9-45) und Einleitung II 'Zur Verwendung dieses Buches als Arbeitsbuch' (46-64).

[3] Zu diesem Ansatz des Philosophierens s.: W. Oelmüller, Philosophische Aufklärung. Ein Orientierungsversuch, München 1994; R. Dölle-Oelmüller, Philosophisches Orientierungswissen in Erziehung und Bildung, in: F. Hermanni - V. Steenblock (Hrsg.), Philosophische Orientierung. Festschrift zum 65. Geburtstag von Willi Oelmüller, München 1995, 163-186.

I.2.1. Deutungen des Menschen im Horizont Gott bzw. neuer letzter Orientierungen

> **Die beiden biblischen Geschichten** über Gottes Er-
> schaffung der Welt und des Menschen und über den
> Fall des Menschen gehören in der jüdischen, christli-
> chen und muslimischen Überlieferung zu den zentralen
> Texten über die Stellung des Menschen in der Welt.

Der weltunabhängige, unwandelbare Gott schuf nach dem
Schöpfungsbericht der Priesterschrift (1 Mose 1,1-2,4a) die
Welt. Er ordnete das Chaos. Sonne und Mond, die in der Umgebung Israels als mächtige Götter verehrt wurden, sind nach
dem Schöpfungsbericht nur noch von Gott geschaffene "Lich-
ter" oder "Leuchtkörper" zur Unterscheidung von Tag und
Nacht. Nach der Erschaffung der Pflanzen und Tiere **schuf
Gott den Menschen, Mann und Frau, als "Bild" Gottes** mit
dem Auftrag: *"Seid fruchtbar, und vermehrt euch, bevölkert
die Erde, unterwerft sie euch, und herrscht über die Fische
des Meeres, über die Vögel des Himmels und über alle Tiere,
die sich auf dem Land regen."* Das alte, oder, wie man heute
sagt, das Erste Testament der Bibel erzählt in seiner Antwort
auf die Erfahrungen der Größe und des Elends des Menschen,
auf die Erfahrung, daß die Menschen sich und die Welt nicht
'in Ordnung' vorfanden, jedoch noch eine andere Geschichte,
die **Geschichte vom Fall des Menschen und der Welt** (1
Mose 2,4b-3,24): Die Menschen wollten sein wie Gott, und
deshalb zerbrach das Paradies, das gute Zusammenleben der
Menschen mit Gott, miteinander und mit der Natur.

In Griechenland gab es nach der Achsenzeit bei allen Unterschieden im Denken der frühen Griechen ähnliche Vorstellungen von Gott, Welt und Mensch. Wie in der jüdischen Auf-

klärung so wurden auch in der griechischen Aufklärung die in Griechenland vorgegebenen Vorstellungen einer allzu menschlich gedachten Götterwelt, die vor allem von Homer geschaffen waren, unglaubwürdig und kritisiert. Aufklärung über Gott und Mensch zielte in der jüdischen und griechischen Aufklärung in der Regel nicht in Richtung Atheismus, sondern Monotheismus, die Lehre vom einen Gott.

> **Zur griechischen Aufklärung mit ihrer Suche nach neuen Lebensformen und letzten religiösen Orientierungen** zählt man auch **Sophokles** (497-406 v.Chr.).

Über die Ungeheuerlichkeit des Menschen, sein Können, seine Maßlosigkeit und sein Elend heißt es in dem Chorgesang der 'Antigone'[4]: *"Ungeheuer: viel. / Aber ungeheurer als der Mensch: nichts."*(V.332-333) Die Erde, das Meer, die Tiere und auch Krankheiten beherrscht der Mensch: *"Nur vor dem Tode weiß er keinen Rat. ... Weit über Erwarten begabt / mit Können und Geist / schreitet er einmal zu Schlechtem, / einmal zu Gutem. / Ein Freund der Stadt, / erfüllt er das Gesetz der Götter / und das beschworene Recht. / Ein Feind der Stadt, / tut er das Schlechte, / frevelt, dem trotzigen Wagnis zuliebe. / Nicht sei mir Tischgenosse, / nicht Gleichgesinnter, / wer solches tut."* (V. 360, 365-375)

---

[4] Das Drama 'Antigone' wurde 442 v.Chr. zum ersten Mal aufgeführt. Das Grundmotiv des Dramas ist die (unvermeidliche) Kollision zwischen herkömmlicher Sitte und Polisordnung, der Ordnung der altgriechischen Stadt.

I.2.2. Deutungen des Menschen im Horizont Natur

Am Beginn der europäischen Geschichte wurden, vor allem in der griechischen und römischen Antike, im **Horizont der Natur** sehr viele Antworten auf die Frage, was der Mensch ist, entwickelt und diskutiert, die bis heute immer wieder erörtert werden.

> **Physis statt Nomos (Gesetz), Natur statt bloßer Tradition**, das ist die neue Instanz, mit der man nun Menschen, menschliche Lebensformen und Institutionen zu kritisieren bzw. zu rechtfertigen versucht.

Die bisher durch Mythen legitimierten Lebensformen, die Sitten und Gebräuche, werden zum bloßen Herkommen. Die neuen Lebensformen, die nun Anspruch auf Anerkennung erheben, müssen sich vor der Natur rechtfertigen. Was im ersten Jahrhundert n.Chr. **Seneca**[5] schreibt, fordern in dieser Allgemeinheit trotz aller Unterschiede im einzelnen auch die sophistische Aufklärung, Platon, Aristoteles, die Epikureer, die Kyniker und die Stoiker: *"Die Natur muß man zur Führerin nehmen; der Vernünftige beobachtet und befragt sie. Glückselig leben und naturgemäß leben ist ein und dasselbe."* (Vom glückseligen Leben 8)

---

[5] Lucius Annaeus Seneca (4 v.Chr. - 65 n.Chr.) zählt man zu den Stoikern, die sich vor allem als Bürger des vernünftig geordneten Kosmos verstanden und für die Philosophie Mittel zur 'stoischen' Lebensführung war.

Unter Natur, der außermenschlichen und der menschlichen Natur und dem Recht der Natur verstand man schon damals sehr Verschiedenes:

Für **Sophisten**[6] bedeutet ein Leben und Handeln nach der Natur **auf der einen Seite:** so leben und handeln, **wie es dem Stärkeren zuträglich ist, auf der anderen Seite:** so leben und handeln, daß man **den Schwächeren gegen die Stärkeren Schutz und Hilfe** bietet.

Für **Platon** (427-347 v.Chr.) und **Aristoteles** (384-322 v.Chr.) ist die Ordnung des Kosmos, des alles umfassenden Weltalls, vernünftig, schön und göttlich. **Natürlich ist diejenige Weltordnung, die vernünftig, schön und göttlich ist. Die höchste Lebensform** des Menschen ist für Platon und Aristoteles nicht die Lebensform des sinnlichen Genusses der Masse und nicht die Lebensform der politischen Tätigkeit, sondern **die Betrachtung des Göttlichen** durch die Seele, die selbst göttlichen Ursprungs ist, in Muße, d.h. frei von Arbeit und Politik. Diese These vertritt Platon z.B. in dem berühmten 'Höhlengleichnis' (Der Staat 514a-521b) und Aristoteles in der 'Nikomachischen Ethik' (I,3; X,7).

Für **Epikur** (341-270 v.Chr.) ist das **Weltall** und alles, was ist, der Leib des Menschen und auch seine Seele, im Gegensatz zu Platon und Aristoteles **eine zufällig entstandene und ebenso zufällig vergehende Atomkomposition. Was der Mensch ist und sein kann, zeigt sich allein in seinem begrenzten, endlichen Leben.** Ein glückliches Leben kann es daher für Menschen nach Epikur nur geben bei mäßigem Ge-

---

[6] Weisheitslehrer (von griech. sophízein, weise machen), in der 2. Hälfte des 5. Jahrhunderts v.Chr., vor allem in Athen, als Lehrer der Politik und Rhetorik tätig. Sokrates und Platon bekämpften in ihren Schriften die Sophisten.

nuß, bei einer Gartenparty mit Freunden und vor allem, wenn man von Todesangst und Angst vor den Göttern befreit ist. Die Betrachtung eines göttlichen Kosmos und die politische Tätigkeit in der Polis können für Epikur keine vollendeten Tätigkeiten des Menschen sein. Einen Kosmos, so wie er ihn verstand, kann man nicht "zur Führerin nehmen", und die griechische Polis war zu seiner Zeit durch die hellenistischen Großreiche zerstört.

Für die antiken **Kyniker**[7], die 'Aussteiger' in der Antike, bedeutet nach dem Verfall des göttlichen Kosmos und der Polis naturgemäß all das, was bei **größter Bedürfnislosigkeit der biologisch-animalischen Selbsterhaltung** dient. Das Symbol für das bedürfnislose Leben ist die 'Tonne des Diogenes'.

Für die **Stoiker** gilt das als von Natur aus sittlich und recht, was im Grunde allein dem Weisen, in der Regel im Rückzug aus aller Politik, möglich ist, wenn er mit dem Logos (der Vernunft) des Kosmos in Übereinstimmung lebt. Dem Menschen, der sein Leben vernünftig einrichten will, bleibt allein **"die Ausrichtung nach der Natur". Natur als Gesamtzusammenhang aller Dinge bedeutet hierbei ein Dreifaches**: *"Entweder Zwang des Verhängnisses (heimarmene) und eine unausweichliche Ordnung oder gnädige Vorsehung (pronoia) oder Durcheinander des Zufalls ohne Leitung"* (**Marc Aurel** [121-180], Wege zu sich selbst, 14). Das heißt für den Menschen: Wenn "der Zwang des Verhängnisses" herrscht, so sträube dich nicht, auch nicht bei Leiden und Widerfahrnis-

---

[7] Die Kyniker lehrten die völlige Bedürfnislosigkeit. Die legendäre Philosophengestalt des Diogenes von Sinope des vierten Jahrhunderts v.Chr. gilt als der Prototyp des Kynikers, als die Verkörperung des Kynismus schlechthin. Er wohnte in einer Tonne, besaß nur einen Mantel, Brotsack, Stab und Becher, den er wegwarf, als er einen Knaben aus der hohlen Hand trinken sah. Als erster nannte er sich einen Kosmopoliten, einen Bürger des Kosmos, d.h. der Natur.

sen, die selbst Gott nicht ändern kann, oder, wenn die Vorsehung herrscht, dann bemühe dich, der göttlichen Hilfe würdig zu sein, oder, wenn der Zufall herrscht, so halte dich an
den "leitenden Geist", der, weil er göttlicher Geist ist, sich
nicht fortreißen läßt im Durcheinander der Dinge des Lebens.

I.2.3. Deutungen des Menschen im Horizont Kultur

Der Mensch ist auch schon für Denker am Beginn der
europäischen Geschichte im Vergleich mit anderen
biologischen Lebewesen **ein Mängelwesen. Wenn er
überleben und gut leben will, ist er zur Kultur verdammt**, wenn man unter Kultur den Inbegriff aller von
Menschen selbst geschaffenen verbalen und technischen Errungenschaften sowie aller sozialen, rechtlichen, politischen und religiösen Institutionen und Sinn-
systeme versteht.

Für diese in der Moderne von **Herder, Gehlen, Plessner,
Blumenberg, Marquard** und anderen[8] formulierte These liefert der Prometheus-Mythos in **Platon**s 'Protagoras'[9] (320b-

---

[8]   Johann Gottfried Herder (1744 - 1803), Arnold Gehlen (1904 -
1976), Helmuth Plessner (1892-1985), Hans Blumenberg (geb.
1920), Odo Marquard (geb. 1928).

[9]   Prometheus (griech.: der Vorausdenkende), in der griechischen
Mythologie ein Titan (Halbgott), dem mit seinem Bruder Epimetheus
(der zu spät Bedenkende, Erkennende) die Aufgabe zukommt, die
Lebewesen, d.h. auch die Menschen zu schaffen. Protagoras von Abdera (ca. 485 - 415 v.Chr.), einer der führenden Sophisten; überliefert ist sein Ausspruch: "Der Mensch ist das Maß aller Dinge."

323a) ein Beispiel. Auf die Frage des **Sokrates**[10], was der Mensch und seine ihm gemäße Tüchtigkeit ist, antwortet Protagoras in der Form eines Mythos. Auf seine Frage: *"Soll ich es euch in einem Mythos darstellen, so wie ein Älterer zu einem Jüngeren spricht, oder soll ich es euch im Vortrag erläutern?"* antwortet er selbst: *"Nun, ich finde es hübscher, euch einen Mythos zu erzählen"*. (71) Protagoras erzählt, wie das 'Mängelwesen' Mensch entstand, weil Epimetheus bei der Zuteilung der natürlichen Fähigkeiten, die jedem Lebewesen das Überleben sichern sollten, bei der Erschaffung des Menschen im Unterschied zu den Tieren alles vergaß, was dieser zum Überleben und zum guten Leben braucht. So stand der Mensch da *"nackt, ohne Schuhe, ohne Decken und ohne Waffen"*. Prometheus stiehlt deshalb von den Göttern das *"Handwerk samt dem Feuer"* (72) Von Athene erhält der Mensch Sprache und Religion. Aber auch damit allein kann der Mensch nicht gut leben. Zeus schenkt ihm daher die *"Staatskunst"*, *"sittliche Scheu und Rechtsgefühl"* (73).

Was macht nach diesem Mythos den Menschen zum Menschen, und was ist sein Wesen? Nach der Darstellung des Mythos läßt sich das Wesen des Menschen nicht so einfach aus der Natur erklären wie das der vernunftlosen Wesen. Der Mythos erzählt von dem wiederholten Eingreifen göttlicher Wesen. Ist der Mensch "Mängelwesen *und* Prometheus", wie **Gehlen** den Mythos aufnimmt? Nach Platon liefern die Kultur und die Institutionen allein keine ausreichende Erklärung für die Deutung des Menschen. Die beschriebene 'dritte' Natur des Menschen, die moralisch-politische, ist nicht nur Ausgleich

---

[10] Sokrates (469-399 v.Chr.), Begründer einer neuen Epoche in der griechischen Philosophie, hat selbst nichts geschrieben. In vielen Dialogen Platons ist er Hauptgesprächsteilnehmer und vertritt oft die Position Platons.

oder Kompensation für die Mängelkonstitution des Menschen.[11]

---

[11] Eine ausführliche Interpretation des Prometheus-Mythos bei: R. Dölle-Oelmüller, Der Mythos vom Überleben und guten Leben des Menschen, in: Zeitschrift für Didaktik der Philosophie, Jg. 13, H.3 (1991) 187-190.

I.3. Philosophische und wissenschaftliche Anthropologien seit dem 18. Jahrhundert

Mit dem Begriff **Modernisierungsprozesse** bezeichnen viele heute **das moderne Ensemble von Prozessen der Basis und des Überbaus**[12], die sehr unglenichzeitig in Europa und inzwischen auch überall auf der Erde die überlieferten Formen des Lebens, der Kulturen und Religionen mit guten und schlimmen Folgen für das Leben, Denken und Handeln, Leiden und Hoffen der Menschen verändern. Zu solchen Prozessen gehören solche der Wissenschaften, der Technik, Wirtschaft, Verwaltung, der modernen Gesellschaften und der Rechts- und Verfassungsstaaten, aber auch solche der Kulturen, der Religionen, inzwischen auch solche der Multimedien (Informationsgesellschaften). Einige sprechen bei diesen Prozessen auch von Strukturen und Systemen. **All dies verändert direkt oder indirekt, bewußt oder unbewußt die Welt der Menschen und inzwischen auch die Welt als Natur. Zwei allgemeine Veränderungen des Selbstverständnisses der Menschen** werden in Europa seit der von **Kosellek**[13] sog.

---

[12] Im Anschluß an Marx Bezeichnung für die Gesamtheit der jeweiligen gesellschaftlichen Verhältnisse: Die Basis ist die Gesamtheit der materiellen ökonomischen Verhältnisse, der Überbau ist die Gesamtheit der politischen, juristischen, moralischen, weltanschaulichen Anschauungen sowie der politischen, juristischen und sonstigen Institutionen (Staat, politische Parteien, gesellschaftliche Organisationen, kulturelle Einrichtungen, Bildungswesen usw.).

[13] Reinhart Koselleck (geb. 1923), Professor für Geschichte und Theorie der Geschichte. In seinen Untersuchungen zum neuzeitlichen Geschichtsbegriff stellt er heraus, daß sich erst im 17. und 18. Jahrhundert der Kollektivsingular *die* Geschichte als Begriff für die eine,

"Sattelzeit" beim Übergang von Alteuropa zur Moderne immer wieder interpretiert und diskutiert:

- **Das alteuropäische Reich der Metaphysik**, das über die außermenschliche und menschliche Natur hinaus ein oft auch religiös legitimiertes Reich der vorgegebenen Ideen und Zwecke mit dem Sein an der Spitze unterstellte, **verliert für viele seine Glaubwürdigkeit und Orientierungsleistung.**

- **Das alteuropäische Geschichtsdenken**, das als Lehrmeisterin überlieferter und bewährter Lebensformen sowie sozialer und politischer Institutionen anerkannt war - Historia magistra vitae - **verliert seine Bedeutung für die Lebens- und Zukunftsplanung vieler Menschen**, und die neuen Ziele heißen jetzt Säkularisierung, Emanzipation, Autonomie, Mündigkeit.

In dieser Situation suchen seit dem 16. Jahrhundert moderne Philosophen und Wissenschaftler neue Antworten auf die neue Frage, wie der Mensch jetzt zu bestimmen sei, wenn er nicht mehr von der alteuropäischen Metaphysik und dem alteuropäischen Geschichtsdenken glaubwürdige Antworten erhält. Die modernen Philosophien und Wissenschaften verwenden zum ersten Mal den **neu gebildeten Begriff Anthropologie** in einer für die Moderne kennzeichnenden engen Bedeutung als

---

universale Geschichte herausbildet, der für die entstehende bürgerliche Gesellschaft einen neuen Handlungs- und Reflexionsraum konstituiert, die Vorstellung von der Machbarkeit der Geschichte. In der alteuropäischen Zeit wurde die - begrenzte - Geschichte (eines Volkes, eines Raumes, einer Kultur) als "Lehrmeisterin des Lebens" (historia magistra vitae) verstanden.

einer besonderen philosophisch-wissenschaftlichen Disziplin.[14]

Heute wird der Begriff Anthropologie auf der Ebene der Wissenschaften und der wissenschaftlichen Philosophie in sehr verschiedener Weise verwendet. Jeder Studierende und Lernende erfährt dies an seiner Universität und beim Besuch einer größeren Buchhandlung. Fast jede Wissenschaft hat ihre Anthropologie, die zeigt, was sie von ihrem Forschungsgebiet aus und mit ihrer Methode über den Menschen sagen bzw. nicht sagen kann. Die Philosophie zeigt unter dem Titel Anthropologie, was sie aus der Perspektive der gerade vertretenen philosophischen Methoden (z.B. der ontologischen, transzendentalphilosophischen, historischen, phänomenologischen, analytischen) über den Menschen sagen bzw. nicht sagen kann.

Beim Übergang von Alteuropa zur Moderne sehe ich in der bisherigen Moderne zunächst einen Wandel der Antwortversuche auf die Frage, was der Mensch ist, in den drei letzten Horizonten Natur, Kultur, Gott.

I.3.1. Moderne Deutungen des Menschen im Horizont Natur

Moderne Antwortversuche **im Horizont Natur** auf die Frage, was der Mensch ist, verstehen die außermenschliche Natur etwa im Sinne des **mechanistischen Materialismus oder des biologischen Evolutionismus.**

---

[14] S. den Artikel 'Anthropologie' von O. Marquard in: Historisches Wörterbuch der Philosophie, hrsg. von J. Ritter - K. Gründer, Basel-Stuttgart 1971 ff., 1, 362-374.

Holbach (1723-1789)[15] argumentiert auf der **Grundlage des mechanistischen Materialismus.**

> Seine Deutung des Menschen aus der Perspektive der modernen Naturwissenschaften ist eine Entlarvungsperspektive, die ausgeht von dem *"verborgenen Mechanismus"* der Welt und der Natur. Die wunderbare und komplizierte *"menschliche Maschine"* wird *"beständig durch die selben Gesetze geregelt ..., die die Natur allen Dingen vorschreibt"* (127).

Es gibt, ähnlich wie für Epikur, nur Materie, und nach notwendigen Gesetzen der Natur ist Entstehen und Vergehen aller Dinge mechanisch erklärbar, auch all das, was der Mensch für seine besonderen Eigenschaften hält (z.B. Leidenschaften, Empfindungen, Ideen, Willensäußerungen). Diese Eigenschaften seien *"nur eine Folge von notwendigen Ursachen und Wirkungen, die mit den allgemeinen Naturgesetzen übereinstimmen"* (128). Für Holbach ist **der entscheidende Grund für die Illusionen und Selbstmißverständnisse des Menschen,** *"daß er glaubte, er setze sich selbst in Bewegung und wirke immer durch seine eigene Energie; daß er glaubte, er sei in seinem Wirken und in seinem Willen, der die Triebfeder des Wirkens ist, von den allgemeinen Gesetzen der Natur und der Gegenstände unabhängig, die diese Natur oft ohne sein Wis-*

---

[15] Paul Henri Thiry Baron d'Holbach; in seinem Hauptwerk 'System der Natur' verarbeitete er die Ergebnisse der englischen und französischen Aufklärung und die bis dahin bekannten naturwissenschaftlichen Erkenntnisse zu einer materialistisch-atheistischen Philosophie, die von vorgegebenen, der Materie inhärenten Bewegungsgesetzen ausgeht. Diesen Gesetzmäßigkeiten unterliegt auch der Mensch.

sen und immer ohne seinen Willen auf ihn wirken läßt" (128). Alle Selbstmißverständnisse der Philosophen über die Spiritualität des Menschen, über seine Innerlichkeit, seine Selbstreflexion, seine Unsterblichkeit, sein Doppelwesen aus Leib und Seele seien unbegründete Hypothesen, Vermutungen, Irrtümer, weil die Philosophen "Wörter schufen" und den Irrtümern der Sprache erlagen und die Natur *"nicht unter den richtigen Gesichtspunkten betrachteten"*(130). Eine Befreiung von dem falschen Selbstverständnis des Menschen sei allein möglich auf dem Wege, *"auf dem nur die Erfahrung der Leitfaden sein kann"* (132). Fragen über Anfang und Ende der Welt und des Menschen sowie über die Ewigkeit der Welt und des Menschen, die nicht von Erfahrung aus zu entscheiden seien, könne der Mensch überhaupt nicht beantworten. Holbach beendet seine Erklärung des Menschen im Namen der mechanistisch materialistisch interpretierten Natur des Weltalls und des Menschen so: *"Der Mensch, ein unendlich kleiner Teil des Erdballs, der in der unermeßlichen Weite nur ein unmerklicher Punkt ist"* - *"nur ein Eintagswesen"*, *"schmeichelt sich, ewig zu sein, und nennt sich König des Universums"* (136-137).

Charles Darwin (1809-1882) denkt nicht wie Holbach mechanistisch-materialistisch die Natur des Alls und des Menschen nach Analogie einer Maschine.

Darwin interessiert, wie die Formen des organischen Lebens und der Mensch selbst naturgeschichtlich bzw. evolutionsgeschichtlich zu erklären seien. Seine Einbeziehung der Geschichte, der Vergangenheit und der Zukunft der biologischen Evolution, sprengt, konsequent zu Ende gedacht, wie die naturwissenschaftlichen Diskussionen heute zeigen, eine rein mechanistisch-materialistische Erklärung des organischen Lebens, vor allem des Menschen.

Die Aussagen Darwins zeigen hierbei ein Vierfaches:

- Darwin ist sich der **Grenzen seiner wissenschaftlich begründeten Annahmen** über den Menschen bewußt: Auch begründete Annahmen seien überholbar. Sie seien nicht die Wahrheit, sondern öffneten den Weg dahin, indem sie Irrtümer beseitigten.

- Nachdem man erkannt habe, *"daß der Mensch von einer weniger hoch organisierten Form abstammt"*, könne man *"nicht länger mehr glauben, daß der Mensch seinen Ursprung einem separaten Schöpfungsakt verdanke"* (210).

- Für die **Entwicklung der intellektuellen** (Sprache, Selbstbewußtsein) **und der moralischen Fähigkeiten** führt Darwin aus der biologischen, **für die Entwicklung des Glaubens an Gott und Unsterblichkeit** - dieser Glaube sei dem Menschen nicht "angeboren oder instinktiv" (209) - führt er **aus der biologischen und kulturellen Evolution Gründe** an.

- Darwin geht davon aus: *"Die Entstehung der Art wie des Individuums* sind ... *Folge von Ereignissen, die unser Geist unmöglich als das Resultat bloßen Zufalls ansehen kann."* (210)

In der Biologie sind inzwischen die von Darwin entwickelten fünf Theorien (Evolution an sich, Evolution durch gemeinsame Abstammung, Abstammung des Menschen vom Affen, Allmählichkeit der Evolution, natürliche Auslese), vor allem seine Ausführungen über die Entstehung des Menschen erheblich weiterentwickelt worden. Auf der Grundlage dieser **weiterentwickelten Evolutionstheorie** versucht heute der Molekularbiologe **Jacques Monod** (1910-1982) in seinem Werk 'Zufall und Notwendigkeit. Philosophische Fragen der modernen Biologie' (1970) beides: eine Weiterentwicklung der Evolutionstheorie und eine neue Deutung des Menschen, vor allem im Anschluß an **Albert Camus** (1913-1960).

> Für Monod ist der moderne Mensch das Produkt einer Symbiose der biologischen und kulturellen Evolution.

Die *"geistige Not der Moderne"* (281) besteht für ihn darin, daß nach der Ausbildung der modernen Wissenschaften eine **"totale Revision" unserer Auffassung vom Menschen notwendig** ist. Der Mensch hänge aber immer noch an den überlieferten Wertvorstellungen, die versprächen, daß das Dasein einen Sinn habe, und dem Menschen die Angst vor der Zukunft nähmen. Diese Hoffnungen müsse er preisgeben. *"Wenn er diese Botschaft in ihrer vollen Bedeutung aufnimmt, dann muß der Mensch endlich aus seinem tausendjährigen Traum erwachen und seine totale Verlassenheit, seine radikale Fremdheit erkennen. Er weiß nun, daß er seinen Platz wie ein Zigeuner am Rande des Universums hat, das für seine Musik* *taub ist und gleichgültig gegen seine Hoffnungen, Leiden oder Verbrechen."* (281-282)

Der weltanschauliche Streit über den Darwinismus bzw. die Evolutionstheorie ist allerdings in keiner Weise erledigt. Dies zeigen der Streit zwischen den Evolutionisten und der "wissenschaftlichen Schöpfungslehre" der Kreationisten[16] oder die dogmatischen Positionen des historischen bzw. nichthistorischen Materialismus.

I.3.2. Moderne Deutungen des Menschen im Horizont Kultur

Seitdem Menschen darüber nachdenken, wer sie sind, wissen sie, daß sie das Paradies, das goldene Zeitalter, das Schlaraffenland, den heilen Naturzustand verloren haben, und sie suchen nach Erklärungen dafür. Die Mythen und Märchen, die Religionen und Philosophien, die Künste und die Literatur zeigen dies. Am Beginn der europäischen Kultur wurde im Vorderen Orient in der Bibel der Mythos vom Sündenfall und der Vertreibung des Menschen aus dem Paradies erzählt und in Griechenland die Verfallsgeschichte der Zeitalter nach dem Verlust des goldenen[17]. In der europäischen Theologie und Philosophie sowie in der Kunst und Literatur wird bis heute

---

[16] Anhänger der biblischen Schöpfungslehre (creatio - Schöpfung), vor allem in den USA, die die Bibel wörtlich verstehen und als allein wahre Aussage über die Welt und die Stellung des Menschen in der Welt ansehen.

[17] S. die früheste Fassung dieses Mythos in Hesiods Epos 'Werke und Tage' (V.106-201). Hesiod (er lebte um 700 v.Chr.) und vor allem Homer (nach der Überlieferung der Verfasser der Epen 'Ilias' und 'Odyssee', er soll im 8. Jahrhundert v.Chr. gelebt haben) waren, wie Xenophanes und Platon sagen, diejenigen, von denen von Anfang an die Griechen gelernt haben.

der Sündenfallmythos immer wieder interpretiert und transformiert. Bezeichnet dieser Sündenfallmythos den Beginn oder die Ursache der Unheilsgeschichte oder des Verfalls der menschlichen Geschichte bis zu ihrer abschließenden Katastrophe, oder bezeichnet er die felix culpa, die glückliche Schuld, die den Beginn der göttlichen Heilsgeschichte oder den Beginn der Fortschrittsgeschiche der Menschen ausmacht?[18] Auch die Wissenschaftler und Mythenliebhaber arbeiten bis heute kritisch mit dem Sündenfallmythos. Das gilt auch für Marx. Die Geschichte der Religion und Religionskritik sowie der philosophischen Spekulationen ist zwar für ihn beendet. Seine Erklärung der menschlichen Entfremdung unterscheidet er daher von der des Sündenfallmythos und der Theologie über den Ursprung des Bösen.

> Eine zentrale Tradition der modernen Anthropologie, die eine bestimmte Transformation des Ursprungsmythos ist, deutet den Menschen **im Horizont Kultur**.

---

[18] Zur Diskussion des Sündenfallmythos und seiner Transformationen s. die Thesen von R. Spaemann 'Transformationen des Sündenfallmythos' und ihre Kritik von Theologen und Philosophen in: W. Oelmüller (Hrsg.), Worüber man nicht schweigen kann. Neue Diskussionen zur Theodizeefrage, München ²1994, 15-53, 97-98. 101-102S. S. ferner: O. Marquard, Felix Culpa? - Bemerkungen zu einem Applikationsschicksal von Genesis 3, in: M. Fuhrmann - H.R. Jauß - W. Pannenberg (Hrsg.), Text und Applikation. Theologie, Jurisprudenz und Literaturwissenschaft im hermeneutischen Gespräch, Poetik und Hermeneutik IX, München 1981, 53-71; F. Hermanni, Felix Culpa. Die geschichtsphilosophische Transformation der Sündenfallerzählung im 18. Jahrhundert, in: F. Hermanni - V. Steenblock (Hrsg.), Philosophische Orientierung, a.a.O. (Anm.3), 249-266.

Die Deutungen des Menschen im Horizont Kultur von **Immanuel Kant (1724-1804), Johann Gottfried Herder (1744-1803), Karl Marx (1818-1883), Arnold Gehlen (1904-1976) und Helmuth Plessner (1892-1985)** werden bis heute immer wieder von Idealisten und Materialisten[19], religiösen und nichtreligiösen Menschen diskutiert, kritisiert und weiterentwickelt.

Ihr gemeinsamer Ausgangspunkt lautet: Der Mensch als kulturloses Naturwesen in seiner natürlichen Lebenswelt kann nicht überleben und gut leben. Anders als das Tier, das in seiner engen, von ihm nicht änderbaren Umwelt leben muß, ist der Mensch weltoffen, auf Kultur hin angelegt bzw. zur Kultur verdammt.

Im Horizont Kultur leben/leben müssen kann im einzelnen sehr Verschiedenes heißen, z.B.: Der Mensch muß bereit sein, sich "*zu kultivieren, zu zivilisieren und zu moralisieren*", um einstmals in der das Recht verwaltenden bürgerlichen und weltbürgerlichen Gesellschaft leben zu können (Kant). Durch Entwicklung von Sprache, Bildung, Kunst, Literatur, Wissenschaft muß der Mensch den natürlichen Zustand des Menschen als "*Mängelwesen*" überwinden und zur Humanität der Menschheit fortschreiten (Herder). Die Menschen müssen die bisherige Geschichte der Entrfremdungen und Klassengesell-

---

[19] Idealismus ist die Richtung der Philosophie, die der Idee (dem Geist, dem Bewußtsein) Vorrang gibt vor den 'bloßen Sachen', der Materie; Materialismus ist die Anschauung, daß alles, was ist, nicht bestimmt ist durch etwas, das vor und über allem sinnlich Erfahr- und Begreifbaren dieses erst begründet (Gott, Geist, Weltvernunft, Ideen), sondern nur bestimmt ist durch Stofflichkeit, Materialität, und Kausalität.

schaften beenden und die klassenlose Gesellschaft herbeiführen (Marx). Nach dem Scheitern bürgerlicher und sozialistischer Zukunftsillusionen und dem Verlust traditioneller lebensorientierender Bestände muß sich der Mensch als Subjekt angesichts der Bedrohungen der entwickelten Industriegesellschaft von den bestehenden Institutionen "mit Haut und Haaren konsumieren lassen" (Gehlen). Heute, wo der Mensch "*zum ersten Male seit seinem Erscheinen auf der Erde seine Spezies mit Vernichtung bedrohen*" kann, muß er "*das Lebewesen Mensch zu einer unmittelbaren Frage seiner Entscheidung machen*"(Plessner)[20]

Kants zentrale These in der 'Anthropologie in pragmatischer Hinsicht' (1798) lautet:

> Was der Mensch geworden ist und in Zukunft sein kann, erfährt er einerseits durch die "*Erfahrung dessen, was die Natur aus dem Menschen macht*", anderseits durch die Kenntnis dessen, "*was er, als freihandelndes Wesen, aus sich selber macht oder machen kann und soll*" (158).

Beim "Charakter der menschlichen Gattung" unterscheidet Kant drei Anlagen: "*Unter den lebenden Erdbewohnern ist der Mensch durch seine technische (mit Bewußtsein verbunden-mechanische) zu Handhabung der Sachen, durch seine pragmatische (andere Menschen zu seinen Absichten geschickt zu brauchen) und durch die moralische Anlage in seinem Wesen (nach dem Freiheitsprinzip unter Gesetzen gegen sich und andere zu handeln) von allen übrigen Naturwesen*

---

[20] H. Plessner, Philosophische Anthropologie, in: Die Religion in Geschichte und Gegenwart, Tübingen [3]1986, 1, 410-414, hier: 414.

kenntlich unterschieden, und eine jede dieser drei Stufen kann für sich allein schon den Menschen zum Unterschiede von anderen Erdbewohnern charakteristisch unterscheiden." (161) Die technische Anlage muß kultiviert, die pragmatische zivilisiert, die moralische moralisiert werden.

*"Die **Summe** der pragmatischen Anthropologie in Ansehung der Bestimmung des Menschen und die Charakteristik seiner Ausbildung ist folgende. Der Mensch ist durch seine Vernunft bestimmt, in einer Gesellschaft mit Menschen zu sein, und in ihr sich durch Kunst und Wissenschaften zu **kultivieren,** zu zivilisieren und zu **moralisieren;** wie groß auch sein tierischer Hang sein mag, sich den Anreizen der Gemächlichkeit und des Wohllebens, die er Glückseligkeit nennt, **passiv** zu überlassen, sondern vielmehr **tätig**, im Kampf mit den Hindernissen, die ihm von der Rohigkeit seiner Natur anhängen, **sich der Menschheit würdig zu machen."** (164)*

Nicht aus einem vorgeschichtlichen Naturzustand,[21] sondern aus seiner in der Geschichte realisierten und realisierbaren Natur erfährt der Mensch, was seine menschliche Gattungsnatur ist und wie er seine Anlagen verwirklichen kann und verwirklichen soll. Zur Erweiterung unserer Erkenntnisse dessen, was der Mensch im Horizont Kultur aus sich gemacht hat und machen kann, gehören daher für Kant philosophische Rekonstruktionen der Kulturentwicklung (in seinen Schriften

---

[21]   Mit Naturzustand wird z.B. von Thomas Hobbes (1588-1659) und Jean-Jacques Rousseau (1712-1778) der vom gesellschaflich-politischen Kulturzustand unterschiedene ursprüngliche Zustand gedacht, in dem die Menschen so leben, wie es ihrer jeweils verschieden unterstellten bösen oder guten Natur entspricht. Der Kulturzustand kommt nach diesen Theorien durch einen sog. Gesellschaftsvertrag zustande, den alle Menschen miteinander schließen. In der Theologie ist der 'Naturzustand' der paradiesische Zustand vor dem Fall des Menschen.

'Mutmaßlicher Anfang der Menschengeschichte', 'Idee zu einer allgemeinen Geschichte in weltbürgerlicher Absicht') und
im Blick auf die Zukunft handlungsorientierende Perspektiven
('Zum ewigen Frieden'), aber auch "das Reisen, sei es auch nur
das Lesen der Reisebeschreibungen" (159). Handwerk und
Technik, bürgerliche Verfassung und weltbürgerliche Gesellschaft, Recht und Moralität, das sind für Kant die Themen,
unter denen er den Menschen und seine Kulturleistungen
sieht. Kant wendet sich dabei trotz des Antagonismus der un-
geselligen Geselligkeit der menschlichen Natur[22] und trotz der
nichtheilen Natur des Menschen gegen "die hypochondrische
[übellaunige] Schilderung, die Rousseau vom Menschengeschlecht macht"; dieser sieht die ursprünglich gute Natur des
Menschen in der Gegenwart durch Wissenschaft und Kultur
als völlig verderbt. Für Kant gilt: "So bleibt das Problem der
moralischen Erziehung für unsere Gattung ... unaufgelöst"
(166-167).

---

[22] Den "Antagonismus [griech. Widerstreit, Widerstand, Gegensatz],
die ungesellige Geselligkeit der Menschen" erklärt Kant in 'Idee zu
einer allgemeinen Geschichte in weltbürgerlicher Absicht' (Vierter
Satz) so:"*d.i. der Hang derselben, in Gesellschaft zu treten, der doch
mit einem durchgängigen Widerstande, welcher diese Gesellschaft
beständig zu trennen droht, verbunden ist. Hiezu liegt die Anlage
offenbar in der menschlichen Natur. Der Mensch hat eine Neigung,
sich zu vergesellschaften; weil er in einem solchen Zustande sich
mehr als Mensch, d.i. die Entwickelung seiner Naturanlagen, fühlt.
Er hat aber auch einen großen Hang, sich zu vereinzelnen (isolie-
ren), weil er in sich zugleich die ungesellige Eigenschaft antrifft,
alles bloß nach seinem Sinne richten zu wollen, und daher allerwärts
Widerstand erwartet, so wie er von sich selbst weiß, daß er seiner
Seits zum Widerstande gegen andere geneigt ist."* (Werke in selchs
Bänden, hrsg. von W. Weischedel, Darmstadt 1966, 4,37)

Das Ziel dessen, was der Mensch als freihandelndes Wesen nach Kant durch Kultivieren, Zivilisieren und Moralisieren seiner Anlagen aus sich selbst herbeiführen kann und soll, ist **"die das Recht verwaltende bürgerliche Gesellschaft"** - Kants Begriff für den die Freiheitsrechte des Einzelnen sichernden Staat - und **die weltbürgerliche Gesellschaft,** für deren geschichtliche Realisierung er in der Französischen Revolution trotz aller barbarischen Rückschritte in der Geschichte ein "Geschichtszeichen" glaubt erkennen zu können. Eine Garantie dafür, daß das geschichtlich Spätere auch das Bessere sein wird, gibt es für Kant jedoch nicht.

Herder beginnt in seiner 'Abhandlung über den Ursprung der Sprache' (1772) seine Analyse des Menschen mit dem "Aufräumen der Begriffe" und des "philosophischen Unsinns" der materalistischen französischen Philosophie und der "metaphysischen Abstraktionen" der deutschen Schulphilosophie. Die Einheit in der Vielheit der menschlichen Fähigkeiten und die guten und schlimmen Möglichkeiten des Menschen könnten weder durch simple Gesetze eines mechanischen Materialismus zureichend beschrieben werden, die das Ganze, die außermenschliche Natur und den Menschen beherrscht und bestimmt, noch durch eine hierarchisch gestufte Ordnung von geistigen und leiblichen Substanzen und Kräften.

Herder schlägt daher im Unterschied zu "Idealist oder Materialist" statt diesen und anderen zu einfachen Vorstellungen von Vernunft **zur Bezeichnung des** *"einen eigenen Charakters der Menschheit"* (157) im Unterschied zu dem der Tiere den **Begriff** *"Besonnenheit"* (158) vor.

"Es ist 'die ganze Einrichtung aller menschlichen Kräfte, die ganze Haushaltung seiner sinnlichen und erkennenden, seiner erkennenden und wollenden Natur', oder vielmehr: es ist 'die einzige positive Kraft des Denkens, die, mit einer gewissen Organisation des Körpers verbunden, bei den Menschen so Vernunft heißt, wie sie bei den Tieren Kunstfähigkeit wird; die bei ihm Freiheit heißt und bei den Tieren Instinkt wird'. Der Unterschied ist nicht in Stufen oder Zugabe von Kräften, sondern in einer ganz verschiedenartigen Richtung und Auswicklung aller Kräfte." (156)

Den Unterschied zwischen dem Tier und dem "Mängelwesen" Mensch beschreibt Herder so: *"Jedes Tier hat seinen Kreis, in den es von der Geburt an gehört, gleich eintritt, in dem es lebenslang bleibt und stirbt."* (152) *"Mit dem Menschen ändert sich die Szene ganz. ... Bei jedem Tier ist, wie wir gesehen haben, seine Sprache eine Äußerung so starker sinnlicher Vorstellungen, daß diese zu Trieben werden; mithin ist Sprache, so wie Sinne und Vorstellungen und Triebe, ihm angeboren und dem Tier unmittelbar natürlich. Die Biene summt, wie sie saugt; der Vogel singt, wie er nistet; aber wie spricht der Mensch von Natur? Gar nicht! so wie er wenig oder nichts durch völligen Instinkt als Tier tut. Ich nehme bei einem neugeborenen Kinde das Geschrei seiner empfindsamen Maschine aus, sonst ist's stumm; es äußert weder Vorstellungen noch Triebe durch Töne, wie doch jedes Tier in seiner Art tut. Bloß unter Tiere gestellt, wäre es also das verwaisteste Kind der Natur: nackt und bloß, schwach und bedürftig, schüchtern und unbewaffnet, und was die Summe seines Elends ausmacht, aller Leiterinnen des Lebens beraubt. Mit einer so zerstreuten, geschwächten Sinnlichkeit, mit so unbestimmten, schlafenden Fähigkeiten, mit so geteilten und ermatteten Trieben geboren, offenbar auf tausend Bedürfnisse verwiesen, zu einem großen Kreise bestimmt, und doch so verwaist und verlassen, daß es selbst nicht mit einer Sprache begabt ist, seine Mängel zu äußern - nein, ein solcher Widerspruch ist nicht die Haushaltung der Natur."* (154-155)

> **Das Mängelwesen Mensch** hat nicht wie das Tier eine spezifische Umwelt, in der es überlebt und lebt. Es **ist weltoffen, d.h. es kann und es wird nach Herder nur dann überleben und gut leben, wenn es im Horizont Kultur durch die Entwicklung von Sprache, Bildung, Kunst, Literatur, Wissenschaft sich, die Mitmenschen und die Menschheit humanisiert.**

Der **junge Marx** geht in den 'Philosophisch-ökonomischen Manuskripten' bei seiner Deutung des Menschen bewußt nicht aus von einem fiktiven Naturzustand, den Theologen und Philosophen unterstellt hatten, auch nicht von dem, was Idealisten sowie mechanistische Materialisten des 18. Jahrhunderts über die Wirklichkeit und Möglichkeit des Menschen gedacht hatten.

Der junge Marx will im Prozeß der modernen Wirtschaft, den die Nationalökonomen des 18. und 19. Jahrhunderts als ein System des freien Wirtschaftens nach allgemeinen Gesetzen beschrieben, die Entfremdung des Menschen aufdecken.

"*Die einzigen Räder, die der Nationalökonom in Bewegung setzt, sind die Habsucht und der Krieg unter den Habsüchtigen, die Konkurrenz.*" (190) Marx dagegen will an diesen wirtschaftlichen Systemen "*den wesentlichen Zusammenhang zwischen dem Privateigentum, der Habsucht, der Trennung von Arbeit, Kapital und Grundeigentum, von Austausch und Konkurrenz, von Wert und Entwertung des Menschen*" (190) offenlegen und aufgrund dieser Analyse **Wege und Möglichkeiten zur Überwindung der Entfremdung des Menschen** entwickeln. Das Ergebnis dieser Analysen der Arbeit im modernen kapitalistischen Wirtschaftssystem, das Marx von anderen Formen des Arbeitens unter anderen gesellschaftlich-geschichtlichen Bedingungen unterscheidet, lautet in zwei Sätzen:

Arbeit in diesem Wirtschaftssystem erzeugt, unabhängig von dem Selbstverständnis und von den Interessen der Arbeiter und der Besitzer der Produktionsmittel, eine vierfache Entfremdung: **Entfremdung vom Produkt der Arbeit, Entfremdung vom Akt des Produzierens innerhalb der Arbeit, Entfremdung vom Leben der menschlichen Gattung, Entfremdung des Menschen von seinen Mitmenschen.**

Der entfremdete Arbeiter produziert durch seine Arbeit eine fremde Macht, das Privateigentum, das über ihn herrscht. Neben dieser ökonomischen Entfremdung analysiert der frühe Marx auch die **Gründe der politischen, ideologischen und religiösen Entfremdung des Menschen.**

Aus seiner Analyse der Arbeit im kapitalistischen Wirtschaftssystem glaubt der junge Marx **verschiedene Möglichkeiten nichtentfremdeter Arbeit und nichtentfremdeten Lebens** entwickeln zu können. Drei solcher Möglichkeiten sind: Den **Kommunismus** charakterisiert Marx so: *"Kommunismus ist als vollendeter Naturalismus = Humanismus, als vollendeter Humanismus = Naturalismus, er ist die wahrhafte Auflösung des Widerstreites zwischen dem Menschen mit der Natur und mit dem Menschen."* (199) Ein wahrhaft menschliches Verhältnis zum Mitmenschen und zur Welt setzt **wechselseitige Liebe und Vertrauen** voraus, denn *"wenn du durch deine Lebensäußerung als liebender Mensch dich nicht zum geliebten Menschen machst, so ist deine Liebe ohnmächtig, ein Unglück"* (201). Eine unmittelbare Konsequenz der **nichtentfremdeten Arbeit** bedeutet für das Individuum *"freie Lebensäußerung"* und *"Genuß des Lebens"* - *"gesetzt, wir hätten als Menschen produziert"* (201-202).

Die Diagnosen des kapitalistischen Wirtschaftssystems und der dadurch bedingten gesellschaftlich-politischen sowie ideologischen Entfremdungen und Konflikte sowie die Prognosen und Programme zu ihren Überwindungen sehen beim späten Marx und seinen Anhängern anders aus. Seit der Veröffentlichung der 'Philosophisch-ökonomischen Manuskripte' des jungen Marx im Jahre 1932 gibt es unter den Theoretikern des Marxismus den bis heute geführten Streit über die Bedeutung der humanistischen Intentionen des jungen Marx in einem entwickelten Marxismus bzw. Sozialismus bzw. Kommunismus.

> Entscheidend für alle Marxisten ist: Der Mensch kann
> sich erst dann geschichtlich verwirklichen, wenn er die
> Formen und Bedingungen entfremdeten Arbeitens ge-
> ändert hat.

Arnold Gehlen, der im Zweiten Teil behandelt wird, und **Helmuth Plessner** gehören im 20. Jahrhundert in Deutschland zu
den einflußreichsten Anthropologen. **Die Aufgabe der philosophischen Anthropologie heute** beschreibt Plessner in seinem gleichnamigen Artikel im Lexikon 'Die Religion in Geschichte und Gegenwart' in einer Situation, in der *"ein wach-
sendes Bedenken der Wissenschaft - und in ihrem Gefolge der
Philosophie - dagegen [besteht], mit dem überkommenen be-
grifflichen Rüstzeug die in den neuen Erfahrungswissen-
schaften vom Menschen errungenen Einsichten noch bewälti-
gen und zuverlässig ausdrücken zu können."*[23] Die philosophische Anthropologie lehne angesichts des "geschichtlichen
Wandels und der Vielfalt kultureller Erscheinungsformen"
"vorschnelle Fixierungen" von "sich im geschichtlichen
Wechsel durchhaltenden Konstanten" ab (ebd. 413). Sie müsse
ausgehen von der *"Sprengung des im Christentum und in Europa noch bis in die Mitte des 19. Jahrhunderts zentriert ge-
wesenen Gesichtskreises unserer Weltdeutung durch Wissenschaft und Lebenserfahrung"* (ebd. 411). Die Frage, was der
Mensch sei, müsse daher verstanden werden als *"eine Frage,
die offensichtlich auf anderes zielt als das Psalmenwort 'Was
ist der Mensch, daß Du (Gott) seiner gedenkst?' oder die
vierte Frage Kants, in welcher er die drei vorangestellten
nach dem, was wir wissen können, tun sollen und hoffen dürfen, kulminieren läßt."* (ebd. 410) Die Anthropologie kann

---

[23] A.a.O. (Anm.20), 411.

nicht "auf die Frage nach dem Was des Menschen eine ab-
schließende Antwort" (ebd. 411) geben.

> Ihre Aufgabe ist: "*Sie hat die Kriterien der Mensch-
> haftigkeit im Horizont möglicher Erfahrung herauszu-
> finden, wobei dem gleitenden Charakter der für sie not-
> wendigen Bedingungen, der Offenheit der condition
> humaine Rechnung zu tragen ist und auch getragen
> werden kann.*" (ebd. 412-413)

Die philosophische Anthropologie könne die durch die Wissenschaften sichtbar gemachten Dimensionen des Menschen
nicht mehr in dem engen geschichtlichen Denkrahmen von
Hegel, Marx oder Dilthey oder in den engen Daseinsanalysen
von Heidegger oder der Existenphilosophie von Jaspers behandeln.[24] "*Je bereitwilliger sich die Wissenschaften vom
Menschen diesen wechselweisen Bezügen zwischen Leib und
Seele, Gemeinschaft und Individuum, Person und Welt zuwenden und ihrerseits medizinische, psychologische, theologische
usw. Anthropologien entwerfen, die für bestimmte Erfah-
rungsbereiche die umspannende Dimension sichtbar machen
wollen, desto dringender erscheint die Aufgabe der philosophischen Anthropologie, solchen Entwürfen eine tragfähige*

---

[24] Georg Wilhelm Friedrich Hegel (1770-1831), Wilhelm Dilthey
(1833-1911), Martin Heidegger (1889-1976), Karl Jaspers (1883-
1969).

Basis zu geben - doppelt bedeutsam in einer Wendezeit, da durch weit vorangetriebene Forschung der Mensch sich die Kräfte in die Hand gespielt hat, die zum ersten Male seit seinem Erscheinen auf der Erde seine Spezies mit Vernichtung bedrohen und das Lebewesen Mensch zu einer unmittelbaren Frage seiner Entscheidung machen." (ebd.414)

Die philosophische Anthropologie von Plessner will in engem Zusammenhang mit den Ergebnissen der modernen Wisssenschaften der Natur, der Soziologie und der Geschichte arbeiten und sich praktisch und politisch mit den Bedrohungen des Menschen, vor allem durch den Nationalsozialismus und Marxismus, auseinandersetzen.

Der Schwierigkeiten einer so arbeitenden philosophischen Anthropologie war sich Plessner bewußt: "*Läßt sich ein Wesen, an dessen Entwicklung aus vormenschlichen Lebensformen ebensowenig zu zweifeln ist wie an seinen offenen Zukunftsmöglichkeiten, ein Wesen, das uns nach Herkunft und Bestimmung gleichermaßen dunkel ist, abschließend bestimmen?*" (ebd. 411)

I.3.3. Moderne Deutungen des Menschen im Horizont Gott

Auch in der Moderne versuchen Denker nach dem Abschied von der Metaphysik und der Geschichtsdeutung Alteuropas den Menschen **im Horizont Gott** zu denken. Dafür zwei Beispiele:

Blaise Pascal (1623-1662), der auch ein bedeutender Mathematiker und Erfinder war, formuliert in seinen Fragment gebliebenen 'Pensées' eine solche Antwort im Horizont Gott. In seinen Reflexionen sieht er die Stellung des Menschen *"zwischen den beiden Abgründen des Unendlichen und des Nichts"*. *"Der Mensch ist weder Engel noch Tier, und das Unglück will, daß, wer den Engel will, das Tier macht." "Was also wird der Mensch werden? wird er Gott oder den Tieren gleich sein? Welch entsetzlicher Abstand! Was also werden wir sein? Wer erkennt nicht aus alledem, daß der Mensch verirrt, daß er aus seinem Ort gefallen ist, daß er ihn ruhelos sucht und daß er ihn nicht wiederfinden kann?"*(119) Pascal geht aus von neuen Erfahrungen des Denkens, die bei aller Anerkennung der Logik der reinen Wissenschaft und der Vernunft zugleich die Grenzen der Vernunft sichtbar machen.

Was bisher Prämissen philosophisch-theologischen Redens über den Menschen waren, ist für Pascal angesichts dieser neuen Erfahrungen des Denkens **"unbegreifbar"**. *"**Unbegreifbar ist, daß Gott ist, und unbegreifbar, daß er nicht ist:** daß die Seele dem Körper vereint ist und daß wir keine Seele haben; daß die Welt geschaffen ist und daß sie es nicht ist; daß es die Erbsünde gibt und daß es sie nicht gibt."* (Fragment 230)

Was in diesen Antinomien (Widersprüchen) unbegreifbar ist, ist damit für Pascal ähnlich wie für Kant nicht etwa aus der Perspektive eines reduzierten Vernunftbegriffs einfach sinnlos, irrational, bloßes subjektives Gefühl. Im Gegenteil, Pascal verlangt, wo es um die letzten Fragen des Menschen geht, Annäherungen in vernünftig begründeten Denkmodellen. Ausdrücklich warnt er vor *"zwei Übertreibungen: Ausschluß der Vernunft. - Nur die Vernunft gelten lassen"* (120).

Diese neuen Erfahrungen des Denkens zwingen zu einer **Revision traditioneller theologisch-philosophischer Denkansätze**. Während man bisher z.b. die Welt als einen Staunen hervorrufenden Makrokosmos bewunderte und von ihm aus den Menschen als Mikrokosmos interpretierte - oder umgekehrt -, erfährt die Neuzeit die Welt als "grauenvolle Räume des Universums" (122), die dem Menschen auf seine Frage, wer er sei, keine Antwort geben. Das **sinnleere Weltall** in seiner unermeßlichen raum-zeitlichen Ausdehnung "verschlingt mich wie einen Punkt" (120). **Die Würde des Menschen liegt jedoch darin, daß er dieses Weltall denken kann.** Der Mensch ist zwar das zerbrechlichste Schilfrohr, aber er ist eines, das denken kann.

Auch den Fall des Menschen kann Pascal weder wie die Schöpfungsberichte der 'Genesis' durch eine mythische Erzählung noch wie Augustinus[25] durch das rationale Konstrukt "Mißbrauch des freien Willens" erklären. Beide Erklärungen haben ja auch nicht, wie intendiert, Gott wegen der Übel in der Welt entlastet und den Menschen belastet, und sie haben so in der Geschichte oft mehr neue Fragen geschaffen als alte beantwortet. Auch wenn wir nach Pascal keine die Vernunft befriedigende Erklärung der **Schöpfung und des Falls des Menschen haben: Wir können uns die Größe und das Elend des Menschen ohne diese beiden 'Mysterien' nicht verständlich machen**: "*denn die Natur ist derart, daß sie überall sowohl im Menschen als außerhalb des Menschen auf einen verlorenen Gott hinweist und auf eine verderbte Natur*" (120).

Pascals 'Wette' (Pensée 233) ist ein Gedankenspiel einer Nutzen und Nachteil kalkulierenden Vernunft. Diese ist auch für

---

[25] Aurelius Augustinus (354-430), Philosoph, einer der bedeutendsten Theologen und Kirchenlehrer.

Pascal nicht die höchste Form der menschlichen Vernunft. Sie kann für ihn jedoch wie für uns im Zeitalter der modernen Logik und Wissenschaften Menschen nachdenklich machen. Das **Gedankenspiel** geht von den **beiden Möglichkeiten** aus, vor denen der Mensch in diesem Leben steht: **Entweder setzt er darauf, daß Gott existiert, oder er setzt darauf, daß er nicht existiert.** Setzt der Mensch darauf, daß Gott nicht existiert, und er existiert tatsächlich auch nicht, dann hat der Mensch natürlich von Gott weder in diesem Leben noch nach seinem Tode Schlimmes zu erwarten. Setzt der Mensch darauf, daß Gott nicht existiert, während Gott aber tatsächlich existiert, so hat der Mensch nach seinem Tode schlimme Ent-Täuschungen zu erwarten. Setzt der Mensch darauf, daß Gott existiert, und dieser existiert tatsächlich nicht, so hat das für sein Leben weder jetzt noch später schlimme Folgen. Setzt der Mensch darauf, daß Gott existiert, und er existiert tatsächlich, so kann das für ihn sowohl in diesem Leben als auch nach seinem Tode gute Folgen haben.

Immanuel Kant gilt für viele auf der einen Seite als Kritiker der alteuropäischen Metaphysik und Theologie, auf der anderen Seite als Kritiker jeder möglichen Metaphysik und jeden Sprechens über Gott und als Begründer eines rein diesseitigen, weltlichen Humanismus. Hierin stimmen jedenfalls Heinrich Heine (1797-1856) und seine bürgerlichen und sozialistischen Verehrer sowie viele christlichen Theologen und Philosophen überein. Hiervon kann jedoch keine Rede sein.

> Trotz all seiner Religions- und Kirchenkritik gehören
> für Kant die religiösen Dimensionen des menschlichen
> Handelns und Hoffens nicht zur erledigten Vergangen-
> heit. Schon innerhalb der Grenzen der bloßen Vernunft
> gibt es für ihn gute Gründe dafür, auf Gott zu setzen.
> Voraussetzung dafür ist jedoch, daß der Mensch wie
> Hiob vor sich und seinen Mitmenschen sowie vor Gott
> aufrichtig ist und ohne Trug spricht.

Der Mensch darf sich z.B. nicht "anmaßen", jenseits der
Grenzen der endlichen Vernunft im Sinne der traditionellen
Metaphysik und der neuzeitlichen Theodizeeversuche[26] zu
spekulieren über das Wesen und die Eigenschaften Gottes
sowie darüber, wie der Mensch Gott wegen der Leiden in der
Welt vor dem Gerichtshof der Vernunft rechtfertigen kann.
Für Kant war das Bilderverbot der Juden bei Antwortver-
suchen auf letzte Fragen, auch auf religiöse, von entscheiden-
der Bedeutung: *"Vielleicht gibt es keine erhabenere Stelle im
Gesetzbuche der Juden, als das Gebot: Du sollst dir kein
Bildnis machen, noch irgendein Gleichnis, weder dessen, was*

---

[26] Theodizee (Rechtfertigung Gottes) - ein von G.W. Leibniz (1646-
1716) geschaffener Begriff.
  Zu der gegenwärtigen Diskussion über die Leistungsfähigkeit und
Grenzen solcher Rechtfertigungsversuche Gottes angesichts der grauenhaften Leiden in der Natur, in der Geschichte und im menschlichen Zusammenleben s. die Kapitel: Wie sprechen über Wider-
fahrnisse von Leiden, wenn man darüber nicht schweigen kann? Kant
und die nicht erledigte Theodizeefrage. Wie sprechen über und zu
Gott in einer Welt, als ob es Gott nicht gäbe? Jonas' Suche nach einer
glaubwürdigen Gottesvorstellung nach Auschwitz in meinem Buch:
Philosophische Aufklärung, a.a.O. (Anm.3), 119-167.

im Himmel, noch auf der Erden, noch unter der Erden ist."[27] Angesichts der Ausmalungen und Spekulationen über die letzten Dinge in den Religionen und Philosophien kann für Kant eine Religion und Philosophie innerhalb der Grenzen der menschlichen Vernunft sagen: "Es ist nicht wesentlich, und also nicht jedermann notwendig zu wissen, was Gott zu seiner Seligkeit tue, oder getan habe", aber wohl, was er selbst zu tun habe, um "dieses Beistandes würdig zu werden".(178) Über diesen "Beistand" oder die "Mitwirkung (concursus)" Gottes sagt er: "*In moralisch-praktischer Absicht (die also ganz aufs Übersinnliche gerichtet ist), z.B. in dem Glauben, daß Gott den Mangel unserer eigenen Gerechtigkeit, wenn nur unsere Gesinnung echt war, auch durch uns unbegreifliche Mittel ergänzen werde, wir also in der Bestrebung zum Guten nicht nachlassen sollen, ist der Begriff des göttlichen Concursus ganz schicklich und sogar notwendig; wobei es sich aber von selbst versteht, daß niemand eine gute Handlung (als Begebenheit in der Welt) hieraus zu erklären versuchen muß, welches ein vergebliches theoretisches Erkenntnis des Übersinnlichen, mithin ungereimt ist.*"[28]

Für Kant sind hundert Jahre nach Pascal die Erfahrungen und Herausforderungen des Denkens andere. Anders sind vor allem, wie wir im vorigen Abschnitt gesehen haben, neue Erfahrungen des Menschen im Horizont Kultur. Im Horizont Gott denkt Kant jedoch den Menschen in vielen Punkten ähnlich wie Pascal. Trotz aller Kritik der Erkenntnisansprüche der traditionellen Metaphysik und Theologie gibt er anders als seine idealistischen Nachfolger Johann Gottlieb Fichte (1762-1814), Friedrich Wilhelm Joseph Schelling (1775-1854) und

---

[27] I. Kant, Kritik der Urteilskraft, in: Werke in sechs Bänden, hrsg. von W. Weischedel, Darmstadt 1966, 5, 365.

[28] I. Kant, Zum ewigen Frieden. Erster Zusatz. Von der Garantie des ewigen Friedens, a.a.O., 6, 219.

Georg Wilhelm Friedrich Hegel (1770-1831) auf der einen Seite und anders als seine materialistischen Zeitgenossen und Nachfolger auf der anderen Seite den **Gedanken der Schöpfung** nicht preis. Wenn wir nach Kant diesen Gedanken nicht mehr denken dürften oder könnten, wären die "Grundveste" der Religion und Moral erschüttert und der Fatalismus, der Atheismus und Skeptizismus nicht widerlegbar. Wir könnten dann ferner weder die Vorstellung verteidigen, daß **nur der Mensch Zweck an sich** ist, der zu keiner Zeit und von niemandem, auch nicht von uns selbst, nur als Mittel gebraucht werden darf, noch die Praktiken der Herrschenden, die in ihren Kriegen etwa Menschen wie Tiere hinschlachten lassen, als "Umkehrung des Endzwecks der Schöpfung" mit Argumenten der Vernunft überzeugend kritisieren.

Kant kritisiert in seiner Schrift 'Religion innerhalb der Grenzen der bloßen Vernunft' (1793) die **These derjenigen, die den Menschen von Natur aus für gut halten** bzw. die ein unaufhörliches Fortschreiten vom Schlechteren zum Besseren annehmen - eine *"heroische Meinung, die vor allem unter Philosophen und in unserer Zeit vornehmlich unter Pädagogen Platz gefunden hat"*, *"eine gutmütige Voraussetzung der Moralisten von Seneca bis zu Rousseau"* (174). **Er kritisiert jedoch auch diejenigen, die den Menschen für total böse halten** bzw. einen unaufhörlichen Verfall vom Besseren zum Schlechteren annehmen. Der Mensch ist für Kant zwar radikal böse[29], und er gibt hierfür verschiedene Erklärungshypothesen. Das heißt für ihn jedoch nicht, daß der Mensch so total böse ist, daß er zu einer von ihm so genannten **Revolution der Denkungsart bzw. einer Umwandlung der Gesinnung** oder des Herzens schlechthin unfähig und unwillig ist. "Die Tiefe

---

[29] Radikal (von der Wurzel her) böse ist bei Kant die Bezeichnung für den "natürlichen Hang des Menschen zum Bösen", der nicht eine Naturanlage ist oder einem 'Naturtrieb' entspringt.

des Herzens" ist nach Kant zwar dem Menschen, auch jedem
einzelnen, "selbst unerforschlich".

> Zu einer **vollständigen Selbsterkenntnis** seines sittlich
> religiösen Standes kann der Mensch allein schon we-
> gen seiner eitlen Selbsttäuschungen "*natürlicherweise
> nicht gelangen, weder durch unmittelbares Bewußtsein,
> noch durch den Beweis seines bis dahin geführten Le-
> benswandels*". Trotz des radikal Bösen darf der Mensch
> jedoch, ja muß er "*hoffen können, was nicht in seinem
> Vermögen ist, werde durch höhere Mitwirkung ergänzt
> werden*".(177-178)

Das, was Kant im traditionellen Sprachgebrauch "Gott, Freiheit und Unsterblichkeit" nennt, bleibt für den Menschen und
seine Erkenntnis und sein Handeln Ziel "immerfort dauernden
Strebens". Für Gott dagegen, "*der den intelligibelen Grund
des Herzens (aller Maximen der Willkür)*[30] *durchschauet*", ist

---

[30]   Als "intelligibel" bezeichnet Kant diejenigen Gegenstände, die
"bloß durch den Verstand vorgestellt werden können", nicht also von
Menschen, die nur Gegenstände möglicher Erfahrung erkennen können.
   "Maxime" definiert Kant so: "*Praktische **Grundsätze** sind Sätze,
welche eine allgemeine Bestimmung des Willens enthalten, die mehrere praktische Regeln unter sich hat. Sie sind subjektiv, oder **Maximen**, wenn die Bedingung nur für den Willen des Subjekts gültig
von ihm angesehen werden; objektiv aber, oder praktische **Gesetze**,
wenn jene als objektiv, d.i. für den Willen jedes vernünftigen Wesens
gültig erkannt wird.*" (Kritik der praktischen Vernunft, a.a.O., 4,
125).

dies *so viel, als wirklich ein guter (ihm gefälliger) Mensch sein"* (176).

Für Kant, der diese Überlegungen ausdrücklich im Blick auf die christliche Religion vorträgt, ist damit nicht, wie Theodor W. Adorno (1903-1969) formuliert, "der Standpunkt der Erlösung schlechthin unmöglich". Schlechthin unmöglich ist für ihn nur die Erkenntnis dieser Erlösung: "*Es ist nicht wesentlich, und also nicht jedermann notwendig zu wissen, was Gott zu seiner Seligkeit tue, oder getan habe; aber wohl, **was er selbst zu tun habe,** um dieses Beistandes würdig zu werden.*" (178)

I.4. Philosophische Antwortversuche angesichts der gegenwärtigen Überlebens- und Lebensprobleme

Am Ende unseres Jahrhunderts wächst in den entwickelten Industriegesellschaften, aber auch in den anderen Gesellschaften der Erde bei immer mehr Menschen die **Einsicht, daß die weltweiten Modernisierungsprozesse nicht nur gute, sondern auch schlimme Folgen für die einzelnen Menschen und ihre gemeinsamen sozialen Lebensformen sowie religiösen und weltanschaulichen Orientierungssysteme haben.** Niemand kann trotz radikaler Gegenbewegungen zu den Modernisierungsprozessen in verschiedenen Ländern und auf verschiedenen Ebenen im Ernst die moderne Wissenschaft, Technik, Wirtschaft, Verwaltung, Medizin abschaffen wollen, wenn die größer werdende Menschheit überhaupt überleben oder gut leben soll. Die Frage ist überall nur, ob und wie bestimmte erfahrbare und erkennbare schlimme Folgen der Modernisierungsprozesse vermieden oder gemildert werden können. Die schlimmen Folgen werden überall diskutiert: die Zerstörungen der natürlichen Lebensbedingungen der Menschen und Tiere, die Flüchtlingsbewegungen, die größer werdenden Unterschiede zwischen den reichen und armen Ländern trotz aller wechselseitigen Abhängigkeiten, der Schwund bzw. der Wandel der alten Religionen und die Entstehung neuer, nicht nur harmloser Religionen. Ob die modernen Rechts- und Verfassungsstaaten - in der Geschichte und Gegenwart die große Ausnahme politischer Organisationsformen - angesichts dieser Probleme sowie von Korruption, Mafia und Drogenkartellen nicht wie am Ende der 20er Jahre vor totalitären Staaten scheitern, weiß keiner. Auch in Europa verhindern heute die bisher entwickelten nationalen und internationalen sozialen und politischen Institutionen und Organisationen nicht Kriege, brutalen Rassismus, Fundamentalismus, Nationalismus, Fremdenhaß. Vom weltgeschichtlichen Sieg der Freiheit und Wohlstand garantierenden Demokratie und der freien Marktwirtschaft (Fukuyama[31]) sind wir weit entfernt. Der Rückfall in die Barbarei und atavistische Schlächtereien ist, wie wir inzwischen wissen, jederzeit nicht nur möglich, sondern wirklich.

Bei den vielen Antwortversuchen auf die **Frage, wie Menschen sich orientieren sollen** in den Konflikten zwischen Bewahrung und Kritik traditioneller Vorstellungen vom Menschen und menschlichen Lebensformen sowie der Schaffung und Entwicklung neuer werden in Deutschland und Europa drei immer wieder diskutiert:

1. Suche nach Ersatz, Ausgleich, Kompensationen des Menschen für den unterstellten Verlust letzter alteuropäischer religiöser und weltanschaulicher Orientierungen.

2. Abschied von der bisherigen Aufklärung.

3. Neubegründungen der philosophischen Aufklärung nach dem Schwund der Überzeugungskraft zu einfacher Grundannahmen über Gott und Welt, über Natur und Geschichte sowie über die Größe und das Elend des Menschen in bürgerlichen und sozialistischen Aufklärungskonzepten.

---

[31] Francis Fukuyama, US-Amerikaner, in seinem Buch: Das Ende der Geschichte. Wo stehen wir? München 1992.

Zu den gegenwärtigen Überlebens- und Lebensproblemen s. die Kapitel: Menschenrechte in modernen Rechts- und Verfassungsstaaten - eine Utopie der Vergangenheit? Die eine reale Geschichte der heute lebenden und leidenden Menschen nach dem Ende universaler Modelle der Menschheitsgeschichte in meinem Buch: Philosophische Aufklärung, a.a.O. (Anm.3), 65-86.

I.4.1. Suche der Menschen nach neuen letzten Orientierungen

Friedrich Nietzsche (1844-1900), der sich als "Wahrsagevogel-Geist" versteht, der den Nihilismus[32] zu Ende denken will, der für ihn in den nächsten zwei Jahrhunderten kommen wird, hat, wie seine Wirkung auch bei Künstlern und Kunsttheoretikern zeigt, entscheidende Konsequenzen für die viel diskutierte **Suche des Menschen nach neuen letzten Orientierungen** deutlich gemacht. Wenn Gott tot ist, so lautet seine Botschaft, dann können wir nur noch eine kurze Zeit leben von dem Schatten dieses Gottes und dem, was die europäische Geschichte von Gott aus über die Welt, die Natur, den Menschen, die Sprache und auch über die Kunst und das Schöne gesagt haben. Wenn Gott tot ist, dann ist der Mensch nicht durch Vernunft und Sprache bestimmt oder gar Ebenbild Gottes, sondern das *"nicht festgestellte Tier", das sich "gleichsam auf dem Rücken eines Tigers in Träumen hängend"*[33] zur Selbsterhaltung mit Metaphern und Mythen eine illusionäre, scheinhafte Perspektivenwelt schaffen muß. Kunst kann dann, wie Nietzsche zeigt, nicht mehr wie für Aristoteles sein der in Muße freie Umgang des Bürgers mit den Mythen der griechischen Vorzeit, auch nicht mehr der freie ästhetische Umgang mit sich, der Welt und den Künsten im Sinne der bürgerlichen Aufklärung.

---

[32] Nihilismus (von lat. nihil - nichts), bedeutet allgemein die Lehre, die alles Seiende, Wirkliche, Wahre, Positive als Nichts erklärt. Der Begriff, zum erstenmal 1799 gebraucht, wurde anfangs verwendet als Bezeichnung für die Leugnung Gottes und seiner Offenbarung. Seine eigentliche Prägung und weltweite Verbreitung erreichte der Begriff durch Nietzsche. Er versteht darunter die Entwertung aller bisherigen Werte, das Ereignis, daß "Gott tot" sei.

[33] Nietzsche, Werke in drei Bänden, hrsg. von K. Schlechta, München 1966, 3, 311.

Die Mythen schaffende Kraft der Kunst ist dann nach Nietzsches Analysen eine mögliche Bedingung der Selbsterhaltung, *"die große Verführerin des Lebens", ja die "Erlösung des Erkennenden", "Erlösung des Handelnden", "Erlösung des Leidenden"* (a.a.O., 3, 692-693).

Hans Blumenberg begründet, auch im Anschluß an Nietzsche, die neue Mythenfreundlich bei der Suche nach einer neuen Deutung des Menschen so: Angesichts der Allmacht und der Tyrannei des einen Gottes bzw. des einen Logos sowie der von beiden aus legitimierten schlimmen Folgen für das Leben und Zusammenleben der Menschen könne in einer Wirklichkeit des Zwangs und Schreckens nur noch der Polytheismus der vielen Götter Freiräume und Oasen der Freiheit und des Glücks eröffnen. Blumenberg begründet diese Position so:[34] Die Philosophie muß bei den letzten Fragen der Menschen scheitern.

"Absolute Metaphern" und der Mythos jedoch "'beantworten' jene vermeintlich naiven, prinzipiell unbeantwortbaren Fragen, deren Relevanz ganz einfach darin liegt, daß sie nicht eliminierbar sind, weil wir sie nicht **stellen***, sondern als im Daseinsgrund* **gestellte** *vorfinden".*

---

[34] H. Blumenberg, Paradigmen zu einer Metaphorologie, Sonderdruck aus Archiv für Begriffsgeschichte Band 9, Bonn 1960, 19.

Um diese letzten Fragen des Menschen beantworten zu können, müßte man "*das eigene Leben wie von einem Standpunkt
jenseits seiner selbst her ... betrachten"* können. Vernunft,
Philosophie, Dialog seien dazu nicht in der Lage. *"Nur der
Mythos kann diese Außenpunkte gewähren. ... Der Mythos löst
die Aporie des Logos auf."*[35] Aber dachten und denken Menschen den einen Gott nur als Tyrannen? Welcher inhaltliche
Mythos kann letzte Fragen beantworten? Welcher eröffnet
Menschen Möglichkeiten von Freiheit und Glück? Die beiden
in diesem Jahrhundert besonders wirksamen, der nationalsozialistische 'Mythus des 20. Jahrhunderts' (Rosenberg) und der
sozialistische der klassenlosen Gesellschaft, taten dies nicht.
Mythenfreundlichkeit ist auch heute oft eine Arbeit an gefähr-
lichen sozialen und politischen Mythen (z.B. Nationalismus,
Rassismus). Sie sucht dann nicht nur eine Alternative zu dem
einen Gott, sondern auch eine zu dem durch Vernunft, Freiheit, Demokratie gekennzeichneten Leben.

Odo Marquards philosophische Anthropologie des Homo
compensator zielt wie die moderne Geschichtsphilosophie auf
die von ihm so genannte "Entübelung der Übel". Seine These
über den Menschen lautet: **Der Mensch** "*existiert, indem er
seine Mängel kompensiert. Die philosophische Anthropologie
bestimmt ihn nicht als triumphierenden Zielstreber, sondern
als kompensierenden Defektflüchter: der Mensch ist für sie
der, der - als physischer Taugenichts - etwas statt dessen tun
muß, tun kann und tut: **die philosophische Anthropologie ist
die Philosophie des Stattdessen.** So kommt es - konsequen-
terweise - zu jenem Tatbestand, den ich eingangs beschrieb:
die moderne Konjunktur der philosophischen Anthropologie
vollzieht sich im Zeichen des Kompensationsbegriffs: als
Karriere der Philosophie des **homo compensator**.*"[36] Auch im

---

[35] H. Blumenberg, Höhlenausgänge, Frankfurt 1989, 112.

[36] O. Marquard, Homo Compensator (1981), 317-329, hier: 329.

Anschluß an Blumenberg spricht Marquard davon, daß für den Menschen **die Kunst ein "Kompensat der verlorenen Gnade"**[37] sein kann. Aber ist das nicht angesichts der grauenhaften Leiden in der Welt eine hoffnungslose Überforderung eines entgrenzten Kunstbegriffs? Welche Dichter und Künstler und welche Kunstwerke und Dichtungen wollen und können im Ernst eine solche 'Kunstreligion', einen solchen Ersatz bieten, auch wenn einige Kunstliebhaber vielleicht einen solchen in Weimar, Bayreuth, Salzburg suchen?

I.4.2. Abschied von der bisherigen Aufklärung

Ein solcher Abschied und damit verbunden der Ausstieg aus der Moderne in die sog. Prä-, Post- oder Gegenmoderne löst mit Sicherheit keine Probleme der orientierungslosen Menschen heute, er verschärft sie nur. Selbst zum Überleben der ständig wachsenden Zahl von Menschen auf unserer Erde brauchen wir z.B. bei den begrenzten Ressourcen noch mehr moderne Wissenschaft und Technik. Zur Bewältigung der gegenwärtigen Krisen können wir traditionelle Lebensformen und soziale und politische Institutionen, in denen Menschen vor der Ausbildung der Moderne lebten, nicht einfach 'wiederholen'. Der weltweit wachsende, vor allem religiös legitimierte Fundamentalismus, der z.B. die moderne Trennung von Staat

---

[37] O. Marquard, Kunst als Kompensation ihres Endes, in: W. Oelmüller (Hrsg.), Ästhetische Erfahrung. Kolloquien zur Gegenwartsphilosophie 4, UTB 1105, Paderborn u.a. 1981, 167.

Zur Kritik der verschiedenen Formen der neuen entgrenzten Kunst- und Mythenvorstellungen sowie der neuen Mythenfreundlichkeit als Reaktion auf den Schwund der Überzeugungskraft der bisherigen modernen Aufklärungsvorstellungen s. meinen Beitrag: Philosophische Aufklärung - Neue Mythen - Negative Theologie, in: H.-J. Höhn (Hrsg.), Krise der Immanenz. Religion am Ende der Moderne, Frankfurt a.M. 1996.

und Religion wieder beseitigen will, würde als neue Form des Totalitarismus in Europa ebenso wie in anderen Gesellschaften und Kulturen schlimme Folgen haben. Auch viele sog. postmoderne Bewegungen sind eher Problemanzeigen als Problemlösungen. Ein Beispiel für den Ausstieg aus den Krisen der Moderne ist die Haltung der postmodernen Beliebigkeit, die spielerisch, skeptisch oder nihilistisch jede Überzeugung und Verbindlichkeit infrage stellt: Ich stehe hier, aber ich kann auch ganz anders. Sie kann vielleicht eine Zeitlang einzelnen in privaten Nischen Glück und Genuß versprechen; sie kann jedoch ebenso wenig dem Einzelnen seine eigenen Überlebens- und Lebensprobleme lösen wie die seiner Mitmenschen. Andere Beispiele für einen Abschied von der bisherigen Aufklärung liefern die mit verkürzten Vernunftbegriffen arbeitenden Verhaltenstechnologien und -wissenschaften sowie bestimmte Computertechnologien und -wissenschaften.

I.4.3. Weiterführung des Prozesses der Aufklärung

Wer heute zur Neuorientierung des Menschen **den Prozeß der Aufklärung weiterführen und neu begründen** will, ist bei aller notwendigen Kritik von nicht überzeugenden traditionellen Antworten auf nicht erledigte Traditionspotentiale angewiesen. Dafür einige Beispiele: Aufklärung war und ist für mich ein **"Prozeß von Traditionskritik und Traditionsbewahrung"**[38].

---

[38] Der Titel der Einleitung zur Neuausgabe meines Buches: Die unbefriedigten Aufklärung. Beiträge zu einer Theorie der Moderne von Lessing, Kant und Hegel, stw 263, Frankfurt a.M. ²1979, I - XLVI, lautet: 'Aufklärung als Prozeß von Traditionskritik und Traditionsbewahrung'.

Leszek Kolakowskis (geb. 1927), des in Oxford lebenden polnischen Philosophen, bekannter Satz, auch über die Traditionen der jüdisch-christlichen Gottesrede, lautet: *"Mein allgemeiner Leitsatz ist einfach und gar nicht neu. Es gibt zwei Umstände, deren wir uns immer gleichzeitig erinnern sollen: Erstens, hätten nicht die neuen Generationen unaufhörlich gegen die ererbte Tradition revoltiert, würden wir noch heute in Höhlen leben; zweitens, wenn die Revolte gegen die ererbte Tradition einmal universell würde, werden wir uns wieder in den Höhlen befinden."*[39] Wenn **Karl Popper** (1902-1994), Hauptvertreter des Kritischen Rationalismus, die offene Gesellschaft als die beste in der bisherigen menschlichen Geschichte verteidigt, dann beurteilt er diese Gesellschaft und ihre Voraussetzungen nicht mit den Kriterien einer wissenschaftlichen Logik, die Theorien als falsifizierbare[40] Hypothesen betrachtet: *"I have in mind the standards and values which have come down to us through Christianity from Greece and from the Holy Land; from Socrates, and from the Old and New Testaments."*[41] Nach **Hilary Putnam** (geb. 1926), Vertreter der Analytischen Philosophie, können wir bei einer Verteidigung und Verbesserung der Rationalität und Moral nicht von

---

[39] L. Kolakowski, Der Anspruch auf die selbstverschuldete Unmündigkeit, in: W. Oelmüller - R. Dölle-Oelmüller - R. Piepmeier, Diskurs: Sittliche Lebensformen, Philosophische Arbeitsbücher 2, UTB 778, Paderborn u.a. [4]1991, 378-389, hier: 378.

[40] Falsifizieren (lat.) - als 'falsch' herausstellen, widerlegen. Nach Popper können empirische Urteile und darauf bezogene allgemeine Sätze und Theorien nie absolute Gewißheit erlangen, verifiziert, d.h. als 'wahr' bewiesen werden, wohl durch neue Beobachtungen endgültig widerlegt werden.

[41] K. R. Popper, Conjectures and Refutations. The Growth of Scientific Knowledge, London [3]1969, 369.

der "Position des Solipsismus[42]" ausgehen oder von "Nietzsches Irrtum", wir könnten "*willkürlich* bestimmte Werte" setzen: "*Wir können nur dann hoffen, eine rationalere Auffassung der Rationalität bzw. eine bessere Auffassung der Moral auszubilden, wenn wir ausgehen vom Innern unserer Tradition (mit ihren Anklängen an die griechische Agora [Marktplatz, das Zentrum des wirtschaftlichen, politischen und geistigen Lebens], an Newton usw. im Falle der Rationalität, und mit ihren Anklängen an die heilige Schrift, an die Philosophen, an die demokratischen Revolutionen usw. im Fall der Moral); doch das soll nicht im mindesten heißen, daß mit den Auffassungen, die wir jetzt haben, alles ganz vernünftig und zum Guten steht. Wir sind nicht jeder für sich in der eigenen solipsistischen Hölle gefangen, sondern aufgefordert, uns an einem wahrhaft menschlichen Dialog zu beteiligen, an einem Dialog, der das Kollektive mit der Verantwortung des einzelnen verbindet.*"[43] **Jürgen Habermas** (geb. 1929) hatte bereits in seinem Benjamin-Aufsatz davon gesprochen, daß Diskurse "veröden", wenn die Traditionen verloren wären, die Walter Benjamin (1892-1940)[44] zu retten versuchte. Er spricht bei seinen Begründungsversuchen der Diskursethik bewußt nicht von einer Letztbegründung in einer posttraditionalen Gesell-

---

[42] Solipsismus (von lat. solus - allein und ipse - selbst), der erkenntnistheoretische Standpunkt, daß nur das eigene Ich und seine seelischen Zustände reale Existenz haben und alles andere nur in seiner Vorstellung vorhanden ist. In der Moral bedeutet Solipsismus die schrankenlose Durchsetzung des Ich als allein gültiger und verpflichtender Wirklichkeit, d.h. schrankenlosen Egoismus.

[43] H. Putnam, Vernunft, Wahrheit und Geschichte, übers. von J. Schulte, Frankfurt a.M. 1982, 284-285.

[44] Benjamin war in den 30er Jahren mit den anderen Vertretern der Kritischen Theorie Max Horkheimer, Theodor W. Adorno, Herbert Marcuse Mitarbeiter im Frankfurter Institut für Sozialforschung. Habermas ist Vertreter einer weiterentwickelten Kritischen Theorie.

schaft: "*So glaube ich nicht, daß wir als Europäer Begriffe wie Moralität und Sittlichkeit, Person und Individualität, Freiheit und Emanzipation - die uns vielleicht noch näher am Herzen liegen als der um die kathartische [reinigende] Anschauung von Ideen kreisende Begriffsschatz des platonischen Ordnungsdenkens - ernstlich verstehen können, ohne uns die Substanz des heilsgeschichtlichen Denkens jüdisch-christlicher Herkunft anzueignen. Andere finden von anderen Traditionen aus den Weg zur Plethora [Fülle] der vollen Bedeutung solcher, unser Selbstverständnis strukturierenden Begriffe. Aber ohne eine sozialisatorische Vermittlung und ohne eine philosophische Transformation irgendeiner der großen Weltreligionen könnte eines Tages dieses semantische Potential [mit der Sprache gegebenes bedeutungsvolles Potential] unzugänglich werden; dieses muß sich jede Generation von neuem erschließen, wenn nicht noch der Rest des intersubjektiv geteilten Selbstverständnisses, welches einen humanen Umgang miteinander ermöglicht, zerfallen soll.*"[45]

Wie heute bei einer Weiterführung und Neubegründung der philosophischen Aufklärung eine **neue Deutung des Menschen als Subjekt vom Anderen aus** aussehen könnte, erläutere ich kurz zum Abschluß.

Nach den Sprechversuchen in Traditionen der jüdisch-christlichen Gottesrede kann man zu einer Begründung des Subjekts und seines Handelns vom Anderen aus dies sagen: Während in vielen Traditionen des griechischen und neuzeitlichen Humanismus der Andere oft nur als gleichgültiger Nebenmensch, als "Man" (Martin Heidegger [1889-1976]), als fremdes Exemplar der biologischen Gattung, ja als mich bedrohender Feind gedacht werden kann, ist für den Monotheismus der Ju-

---

[45] J. Habermas, Nachmetaphysisches Denken. Philosophische Aufsätze, Frankfurt a.M. 1988, 23.

den und Christen die Zuwendung zum Anderen, der mich in
seiner Verletztheit und Bedürftigkeit herausfordert, das entscheidende und unterscheidende Kennzeichen eines "Humanismus des anderen Menschen" (**Emmanuel Levinas**, 1905 in
Litauen geborener, heute in Frankreich lebender jüdischer
Philosoph)[46]. Das Subjekt wird bei dieser Begründung im Gegensatz zu ontologischen[47] Deutungsversuchen von dem Vor-
sokratiker Parmenides bis Heidegger nicht gedacht als "Hüter
des Seins", sondern als "Hüter meines Bruders". Der alte jüdische Satz: "Wenn ich nicht für mich bin, wer ist für mich, und
wenn ich für mich selber bin, was bin ich" beschäftigt auch die
chassidischen Denker.[48] Erst von dem einen Gott aus ergibt
sich die fundamentale Frage, ob ich überhaupt schon als
Mensch leben kann, bevor ich den Mitmenschen in seiner Bedürftigkeit wahrnehme. Im Gegensatz zu der These, daß das
Streben nach Selbsterhaltung die Grundlage des Lebens und
Handelns ist, spricht Levinas geradezu vom Subjekt "ohne
Identität". Levinas bestreitet damit natürlich nicht, daß ein
Subjekt eine einmalige biologische Identität besitzt und durch
seine sozialen und kulturellen Lebensbedingungen geprägt ist.
Er kritisiert mit der Formulierung Subjekt "ohne Identität" die
nur auf das eigene Ich und seine Bedürfnisse fixierten Selbst-
erhaltungsstrategien.

---

[46] E. Levinas, Humanismus des anderen Menschen, Hamburg 1989.

[47] Ontologie (griech. Seinslehre), d.h. die Lehre vom Seienden, sofern es ist.

[48] M. Buber, Die Erzählungen der Chassidim, Zürich [12]1992, 261.
Chassidim (hebr. Fromme), Juden im 18. und 19. Jahrhundert in Mit-
tel- und Osteuropa.

> Ein Subjekt kann nach der jüdisch-christlichen Tradition seine letzte Identität allein von der Nähe und Distanz des Anderen aus gewinnen, durch den anderen Mitmenschen und durch ihn in der Spur Gottes, die die nur um sich kreisende Identität immer wieder infrage stellt.

Der Andere wird dabei ausdrücklich diesseits von Egoismus und Altruismus, diesseits von rationaler Distanziertheit und emotionaler Betroffenheit nicht gedacht als der Vertraute meiner überschaubaren Nachbarschaft und Gott nicht als das "ewige Du" (Martin Buber [1878-1965]). Der Andere ist, anders als bei romantischen Vorstellungen von Ich-Du-Zwiegesprächen, auch der Alte und Kranke, der ohne mich nicht überleben und leben kann, der Fremde, der nicht in meine Lebens- und Kulturwelt assimiliert ist, der mich belästigt, ja bedroht.

Welche Konsequenzen heute eine Deutung des Menschen als Subjekt vom Anderen aus hat, erläutere ich an einem Beispiel: am **Urteilen und Handeln des 'Gewissen habenden' Subjekts**.

> Im Gegensatz zu solchen Instanzen wie Staat und Kirche, die für Menschen mit allen katastrophalen Folgen 'Gewissen sein' wollen, verteidige ich wie andere das 'Gewissen habende' Subjekt, das mit gereifter Urteilskraft und mit Zivilcourage das tut, was Menschen tun können. Entscheidend ist bei diesem 'Gewissen-Habenden' das Herausgefordertsein durch den Anderen, den Nächsten und Fremden, der meine Hilfe braucht.

Dies kann und ist auch heute für religiöse Menschen (z.B. durch das Gebot der Einheit von Gottes- und Nächstenliebe in den monotheistischen Religionen), aber auch für nichtreligiöse Menschen (z.B. in Camus' 'Die Pest') in bestimmten Situationen der letzte Grund für das gewissenhafte Handeln.

Real existierende Rechts- und Verfassungsstaaten sind heute, wie wir durch tägliche Erfahrungen und Informationen wissen, nicht nur bedroht und gefährdet durch Zerstörungen der natürlichen Lebensbedingungen, Flüchtlingsbewegungen, Mafia, Drogenkartelle usw. Zu ihnen gehören auch Situationen im Zusammenleben der Menschen, die grundsätzlich nicht oder noch nicht rechtlich geregelt sind bzw. in denen Menschen von ihren letzten religiösen oder nichtreligiösen Voraussetzungen aus gegen bestehende Gesetze entscheiden und handeln müssen. Solche Situationen können etwa gegeben sein, wenn Eltern und Ärzte über Tod und Leben schwerstbehinderter neugeborener Kinder entscheiden müssen, wenn Frauen und Ärzte, auch nach dem letzten Urteil des Bundesverfassungsgerichts, in bestimmten Situationen über Abtreibung oder Nichtabtreibung entscheiden müssen, wenn sich Menschen aufgrund ihrer genauen Kenntnisse der das Leben bedrohenden Lage von Asylbewerbern, die abgeschoben werden sollen, in konkreten Fällen gegen einen Rechts- und Verwaltungsbeschluß wenden usw. Im modernen Rechts- und Verfassungsstaat gibt es grundsätzlich keine rechtsfreien Räume - sog. Kirchenasyl kann es hier nicht geben -, wohl aber reale Situationen, in denen der gewissenhaft Handelnde in unaufhebbarem Konflikt mit dem Staat mit Zivilcourage handeln muß und die rechtlichen Konsequenzen auf sich nehmen muß. Ein solches Plädoyer für das gewissenhaft handelnde Subjekt ist etwas anderes als ein Plädoyer für den Terror der Gesinnungstäter, zu dem Hegel und Max Weber (1864-1920) bereits einiges gesagt haben. Wenn es in den Institutionen real existierender Rechts- und Verfassungsstaaten (in der Politik und Verwaltung, in der Justiz, Armee und Polizei, in der Wirtschaft, in den Schulen, in den Familien, in den Kirchen) nicht Menschen gibt, die fähig und bereit sind, in bestimmten Situationen nach ihrem Gewissen zu entscheiden und mit Mut und Zivilcourage zu handeln, dann sind der Bestand und die Sicherheit der Rechts- und Verfassungsstaaten ernsthaft gefährdet. Beim Attentat auf Hitler am 20. Juli 1944 sprechen wir vom 'Aufstand des Gewissens' religiöser und nichtreligiöser Menschen gegen das nationalsozialistische System. Die Unterschiede zwischen real existierenden totalitären und rechts- und verfassungsrechtlich organisierten Systemen sind sehr groß: Auch Rechts- und Verfassungsstaaten leben jedoch davon, daß in bestimmten Situationen religiöse und nichtreligiöse Menschen nach ihrem Gewissen mit gereifter Urteilskraft und Zivilcourage handeln.

Philosophische Antwortversuche auf die Frage: Was ist der Mensch?

Menschen stellen nicht immer, sondern nur unter bestimmten Bedingungen letzte Fragen, vor allem wenn ihre überlieferten oder selbst erarbeiteten letzten Orientierungen zerbrechen oder 'frag-würdig' werden. Dies geschieht z.B., wenn Menschen mit Staunen oder Entsetzen mit der Größe oder dem Elend des Menschen, mit unerwartetem Glück oder mit grauenhaftem Leiden, mit Tod und Untergang konfrontiert sind. Letzte Fragen sind nach Kant diese: "Was kann ich wissen? - Was soll ich tun? Was darf ich hoffen? Was ist der Mensch? ... Im Grunde könnte man aber alles dieses zur Anthropologie rechnen, weil sich die drei ersten Fragen auf die letzte beziehen."[49] Letzte Fragen "belästigen"[50] nach Kant die Menschen aus

---

[49] I. Kant, Logik A 25, a.a.O. (Anm. 24), 3, 448.

[50] I. Kant, Kritik der reinen Vernunft A VII, a.a.O., 2, 11: "Die menschliche Vernunft hat das besondere Schicksal in einer Gattung

zwei Gründen: Menschen können solche Fragen nicht, jedenfalls nicht endgültig, abweisen, verdrängen, vergessen. Sie
können sie jedoch auch nicht, jedenfalls nicht endgültig, beantworten. Philosophisches Orientierungswissen versucht,
durch Selbstdenken, durch den Gebrauch der eigenen Vernunft und Urteilskraft auf zweifache Weise im Denken zu orientieren: durch Kritik nicht mehr überzeugender Antwortversuche auf letzte Fragen sowie durch Suche, Entwicklung und
Diskussion von glaubwürdigen Antworten auf diese Fragen.

Die philosophische Anthropologie gibt es weder in der Ge-
schichte noch in der Gegenwart, und nichts spricht dafür, daß
es sie in Zukunft geben wird. Zur Geschichte des Philosophierens über die Größe und das Elend des Menschen und zur Lebensgeschichte von Einzelnen gehört die Widerlegung der
Skepsis und die Wiederkehr der Skepsis sowie das ständige
Durchbrechen der den Menschen in ihrer Zeit vorgegebenen
Denk- und Sprechregeln sowie Denk- und Sprechverbote. Die
Konsequenz hieraus ist für mich wie für andere nicht die
Skepsis oder gar die Position der Beliebigkeit: Ich stehe hier,
aber ich kann auch ganz anders, sondern eine kritische Weiterführung und Neubegründung einer philosophischen Aufklärung, die sich und anderen auch über die Größe und das Elend
des Menschen keine Illusionen macht, die hierüber ohne
Selbst- und Fremdbetrug und ohne "Trug für Gott" (Hiob
13,7) zu denken und zu sprechen versucht. Wenn Menschen
ohne fundamentalistischen Mißbrauch von Wahrheit und ohne
radikale Skepsis oder Beliebigkeit leben, denken, handeln und
hoffen wollen, müssen sie das mit begrenzt verallgemeine-
rungsfähigen Antworten auf ihre letzten Fragen tun, die sie
nicht beliebig zur Disposition stellen. Wenn Wissen von

---

ihrer Erkenntnisse: daß sie durch Fragen belästigt wird, die sie nicht
abweisen kann, denn sie sind ihr durch die Natur der Vernunft selbst
aufgegeben, die sie aber auch nicht beantworten kann, denn sie über-
steigen alles Vermögen der menschlichen Vernunft."

Wahrheit den sicheren und endgültigen Besitz von Wahrheit bedeutet, dann gilt, was Paul Celan (1920-1970) an Nelly Sachs (1891-1970) schrieb: "Wir wissen ja nicht, weißt du, wir wissen ja nicht, was gilt".

Ruth Dölle-Oelmüller

Zweiter Teil:

**Zugänge zur philosophische Anthropolo-
gie**

II.1. Allgemeine Überlegungen zu einem Grundkurs: philosophische Anthropologie

II.1.1. Ziel der Zugänge

Dieser Zweite Teil will einige praktische Hinweise geben für denjenigen, der sich im Studium, Selbststudium, in der Schule oder anderen Bildungsinstitutionen in die philosophische Anthropologie einarbeiten will. Auch praktische Hinweise sollten offenlegen, welcher systematische Rahmen ihnen zugrunde liegt und welches Ziel sie haben. **Meine zentrale These**, die durch lange Erfahrung im Unterricht an Universitäten und Schulen und bei der Ausbildung und Weiterbildung von Lehrern bestätigt ist, lautet:

> **Philosophie soll angesichts unserer problematisch gewordenen Lebensorientierungen Orientierungswissen über letzte Fragen des Denkens, Handelns, Leidens und Hoffens vermitteln, und sie kann dies.**

Was diese Konzeption von Philosophie für das Thema: Was ist der Mensch? bedeutet, zeigt der Erste Teil dieses Grundkurses. Auf der Grundlage dieser Ausführungen sollen im folgenden Hinweise gegeben werden, die die im Ersten Teil behandelten Probleme und zum Teil die dort angesprochenen Positionen aufnehmen und durch die Dokumentation von Texten und deren Erläuterung ausführlicher vorstellen. Wer beginnt, sich mit philosophischer Anthropologie zu beschäftigen, kann auf

diese Weise zusammenhängende Kenntnisse über den Pro-
blembereich: Was ist der Mensch? aus Geschichte und Gegenwart gewinnen. Die 'Kostproben' aus der philosophischen
Literatur in diesem Grundkurs sind so zu verstehen, daß sie
Neugier zu einer intensiveren Beschäftigung mit einem Autor/
einigen Autoren oder Fragen wecken sollen.

Wenn man dies als **'didaktische Hinweise'** verstehen will,
dann sollte klar sein:

Für mich bedeutet 'Didaktik' dies: **auf Erfahrung be-
ruhende Einsichten darüber, wie jüngere und ältere
Menschen, Lernende und Lehrende Zugänge gewinnen können zum Selbstdenken und Selbsturteilen
über Antwortversuche auf letzte Fragen, hier über
die Frage: Was ist der Mensch?**

Unter Didaktik verstehe ich also keine Vermittlungswissen-
schaft 'neben' oder gar 'über' den Wissenschaften und der
Philosophie, die Vermittlungswissen und Vermittlungstechni-
ken lehrt.

II.1.2. Philosophisches Orientierungswissen[51] über Anthropologie

Philosophisches Orientierungswissen ist unterschieden von Orientierungswissen in einer engen sowie in einer weiten und vagen Bedeutung. Orientierungswissen nennt man einerseits ein Wissen in einem eng begrenzten Bereich: wer z.B. Orientierungswissen über die Alltagswelt hat, findet sich in dieser zurecht; wer technisches Orientierungswissen hat, kennt sich etwa mit dem Programm seines Computers aus. In der weiten und vagen Bedeutung wird der Begriff Orientierungswissen ähnlich wie der Begriff Sinn verwendet. Nach dem seit Nietzsche unterstellten Tod Gottes und aller durch ihn legitimierten Orientierungsinstanzen sucht man heute sehr vage neue Orientierungen durch Surrogate und Kompensate, durch alte und neue Mythen.

---

[51] Zur ausführlichen Erläuterung dieser Konzeption von Philosophie und Philosophie-/Ethikunterricht s. W. Oelmüller, Philosophische Aufklärung. Ein Orientierungsversuch, München 1994; R. Dölle-Oelmüller, Ethik als philosophisches Orientierungswissen. Philosophie-Unterricht oder Schulfach Ethik? in: Allg. Gesellschaft für Philosophie in Deutschland (Hrsg.), Neue Realitäten. Herausforderung der Philosophie, Berlin 1993, 1057-1064; dies., Philosophisches Orientierungswissen in Erziehung und Bildung, a.a.O. (Anm.3); dies., Ethik- und/oder Philosophieunterricht - Ersatzfach für den Religionsunterricht? in: Zeitschrift für Didaktik der Philosophie und Ethik 17.Jg. H.3/95 (1995) 204-212.

Menschen suchen kritisch und selbstkritisch begründete Antworten auf letzte Fragen des Wissens, des Tuns und des Hoffens - sie alle könnte man, wie Kant sagt, zur Anthropologie rechnen. **Philosophisches Orientierungswissen besteht in 'glaub-würdigen' Antworten auf diese letzten Fragen, an denen sich Menschen in ihrem Denken, Handeln und Hoffen orientieren und die sie nicht beliebig zur Disposition stellen, auch wenn sie wissen, daß es keine von allen Menschen anerkannten Antworten auf letzte Fragen gibt.**

Zur Geschichte des philosophischen Orientierungswissens in der europäischen Philosophie gehört z.B. der Satz des Sokrates nach seiner Entlarvung der vorgetäuschten Weisheit der Politiker, Dichter und Handwerker: "Ich scheine doch wenigstens um ein Kleines weiser zu sein ..., weil ich, was ich nicht weiß, auch nicht zu wissen glaube." - "Wirklich weise ... mag der Gott sein und er mag in seinem Orakel dies meinen: die menschliche Weisheit ist wenig wert oder nichts." [52] Hierzu gehört auch Kants Einsicht in die Unfähigkeit der menschlichen Vernunft, ein endgültiges System des Wissens zu entwickeln. Hierzu gehört ferner Wittgensteins Satz: "Worüber man nicht sprechen kann, darüber muß man schweigen"[53] und seine gleichzeitige Arbeit daran, wie man an den Grenzen der menschlichen Sprache und Vernunft über letzte Orientierungen sprechen kann.

---

[52] Platon, Apologie 21 D, 23 A.

[53] L. Wittgenstein, Tractatus logico-philosophicus 7. (Ludwig Wittgenstein 1889-1951).

Philosophisches Orientierungswissen kann man im Anschluß an Kants Aufsatz 'Was heißt: sich im Denken orientieren?' (1786)[54] so umschreiben:

> Orientieren durch Philosophie heißt: "**sich im Denken orientieren**". "Sich im Denken überhaupt *orientieren* heißt also: sich, bei der Unzulänglichkeit der objektiven Prinzipien der Vernunft, im Fürwahrhalten nach einem subjektiven Prinzip derselben bestimmen."

Gerade in Bezug auf die letzten Fragen - Kant nennt an dieser Stelle Gott, höchstes Gut, Freiheit, Glückseligkeit, Sittlichkeit - haben wir keine "objektiven Gründe" des Wissens, sondern "subjektive Prinzipien"[55] für unsere Urteile und begründeten Entscheidungen.

---

[54] I. Kant, Was heißt: sich im Denken orientieren, in: Werke in sechs Bänden, hrsg. von W. Weischedel, Darmstadt 1966, 3, 267-283, hier: 270.

[55] "Praktische *Grundsätze* [oder Prinzipien] sind Sätze, welche eine allgemeine Bestimmung des Willens enthalten, die mehrere praktische Regeln unter sich hat. Sie sind subjektiv, oder *Maximen*, wenn die Bedingung nur als für den Willen des Subjekts gültig von ihm angesehen wird." (Kant, Kritik der praktischen Vernunft, Werke, a.a.O. (Anm.27), 4,125).

Wenn Philosophie Orientierungswissen, und d.h. **größere Klarheit über die eigenen letzten Grundannahmen und Überzeugungen** vermitteln will, muß dieses
Wissen auf seinen Beitrag zur Klärung von Erfahrungen, Fragen und Problemen der unter gegenwärtigen
Überlebens- und Lebensbedingungen denkenden und
handelnden Menschen geprüft werden.

Eine Orientierung in letzten Fragen kann, auch nach Meinung
Kants, nicht in einer für alle Menschen zu allen Zeiten letzt-
begründeten, universalen, objektiven Wahrheit bestehen. **Der
"Probierstein der Wahrheit" ist die Urteilskraft des Einzelnen.** Trotz der Kenntnis von der Größe und dem Elend des
Menschen, von der "Ungeheuerlichkeit" des Menschen, von
der schon Sophokles gesprochen hat, eine "Ungeheuerlichkeit", die den Menschen zum Guten und Schlechten führen kann und immer wieder geführt hat, ist dieses "Vorrecht",
"der letzte Probierstein der Wahrheit zu sein", das "höchste
Gut auf Erden". **Menschen müssen bei vielen Entscheidungen über letzte Fragen ihr Urteil treffen aufgrund ihres
Gewissens**, des "Bewußtseins eines *inneren Gerichtshofes* im
Menschen"[56]. Wenn für Kant Aufklärung die Verteidigung
des "subjektiven Prinzips", des "Selbstdenkens", der "Urteilskraft" des Einzelnen bedeutet, dann plädiert er nicht für Sub-
jektivismus, Egoismus, Hedonismus, für eine "sich in sich
verhausende Subjektivität" (Hegel), sondern er kritisiert sie.
Aufklärung heißt für ihn sowohl "jederzeit mit sich selbst
einstimmig denken", aber es heißt immer auch "sich in die

---

[56] I. Kant, Metaphysik der Sitten, Tugendlehre § 13, in: Werke,
a.a.O., 4, 573.

Stelle eines jeden anderen denken", und d.h., im Sinne des kategorischen Imperativs prüfen, ob meine letzten Grundsätze auch die des anderen sein können.

Orientierung in letzten Fragen erhält man nicht dadurch, daß man sich bloße Kenntnisse erwirbt über die unterschiedlichsten Deutungen des Menschen und Begründungen guten Handelns. Die bloße Kenntnis eines in unserer Tradition vorgegebenen Systems einer philosophischen Ethik oder einer angeblich übergeschichtlichen Seins- oder Werteordnung genügt nicht zur Orientierung über die Größe und das Elend des Menschen. Orientierung gewinnt man auch nicht durch zusammenhangloses Wissen. Das Zur-Kenntnis-Nehmen z.B. von verschiedenen Deutungen des Menschen ohne Zusammenhang macht eher orientierungslos. Wer "die Aufklärung in Kenntnisse setzt"[57], der klärt nicht auf. Wer philosophisches Orientierungswissen sucht, sollte selbstverständlich philosophische Texte studieren, auch und vor allem Texte aus unserer Tradition, die Antworten auch auf heutige Fragen sein können.Diese Texte müssen auch sachgemäß und gründlich analysiert werden. Aber Nach-Denken dessen, was andere gesagt haben, ist noch nicht Selbstdenken. "*Selbstdenken* heißt den obersten Probierstein der Wahrheit in sich selbst (d.i. in seiner eigenen Vernunft) suchen; und die Maxime, jederzeit selbst zu denken, ist die *Aufklärung*." Erst die kritische und selbstkritische Auseinandersetzung mit vorgegebenen Antwortversuchen kann zur eigenen Orientierung führen. Daß diese der Sache angemessen sein muß, versteht sich. Zumal der Anfänger ist dabei auf Hilfe durch kompetente Gesprächsteilnehmer (philosophische Fachliteratur, fortgeschrittene Studierende, Lehrer) angewiesen. Eine bloße "räsonierende Konversation" (Hegel) über unmittelbare Erlebnisse und Gefühle ist nicht hilfreich

---

[57] Kant, Was heißt: sich im Denken orientieren, a.a.O., 3,283 (hier auch die folgenden zitierten Stellen).

zur Orientierung. Die Erarbeitung von Texten und die kritische Auseinandersetzung mit ihnen - beim Lesen oder bei Ge-
sprächen mit anderen - ist ein Weg zu dem, was Kant "Selbstdenken" nennt, was man in Anlehnung an seine Definition
von Aufklärung Ausgang aus der selbst und fremdverschulde-
ten Unmündigkeit nennen könnte. Selbstdenken und Selbsturteilen macht auch kritisch zu dem, was uns täglich Fernsehen und Werbung als übliche Lebensvorstellungen vorführen
oder suggerieren wollen.

> Nur durch Selbstdenken kann "**Aufklärung in *einzel-
> nen Subjekten***" gegründet werden. Einiges spricht al-
> lerdings gegen Kants Meinung, daß dies "also gar
> leicht" ist, wenn man nur früh genug damit beginnt.

Zum Selbstdenken und zur Aufklärung ist nicht der "sklavisch
nachahmende", sondern der **"freie und selbsteigene" Gebrauch der Vernunft** erforderlich. "Sich seiner *eigenen* Vernunft bedienen will nichts weiter sagen, als bei allem dem,
was man annehmen soll, sich selbst fragen: ob man es wohl
tunlich finde, den Grund, warum man etwas annimmt, oder
auch die Regel, die aus dem, was man annimmt, folgt, zum
allgemeinen Grundsatze seines Vernunftgebrauchs zu machen?" Philosophisches Orientierungswissen in der Tradition
der Aufklärung ist im Anschluß an Kants Aussagen folgendes
nicht: Es ist kein bloßes Reproduzieren einer philosophischen
Heroengeschichte. Es versteht unsere europäische Tradition
nicht als einen unabänderlichen Bestand einer angeblich einheitlichen Tradition unserer Geschichte. Auch wenn unsere
Tradition entscheidend durch das Christentum geprägt ist,
kann man nicht so tun, wie einige uns glauben machen wol-

len, als gebe es "die naturrechtlich geltenden christliche Werte" und "universal gültige ('self evident') Grundwerte des christlichen Abendlandes"[58]. Philosophisches Orientierungswissen versteht aber auch nicht Argumente und Problemlösungen der philosophischen Tradition als einen Trümmerhaufen beliebiger Kenntnisse, als ein "Aggregat von Bruchstücken", aus dem man nach Belieben einige Scherben zum eigenen Gebrauch aufsammelt. Es ist kein voraussetzungsloses Denken, für das die Antworten der Tradition nur 'relativ' sind. Philosophische Argumente der Tradition sind für den eigenen Vernunftgebrauch weder nur "Schein von Wahrheit" noch nur Anlaß zum Räsonieren.[59]

"Selbstdenken" als "Probierstein der Wahrheit" heißt, daß im "Zeitalter der Kritik" jeder "bei allem dem, was man annehmen soll, sich selbst fragen" muß, welche philosophischen Argumente aus Geschichte und Gegenwart in den je eigenen Lebens- und Handlungszusammenhängen bewahrenswert sind und eine Orientierung in letzten Fragen geben können, welche preisgegeben werden müssen, weil sie unter den veränderten Lebens- und Handlungsbedingungen keine Orientierung mehr leisten können. **Für ein solches Orientierungswissen sind Traditionskritik und Traditionsbewahrung notwendig.**

---

[58]   Einladungsschreiben zum Kongreß 'Mut zur Ethik' (23.-25.09.1994) vom 7. September 1994.

[59]   S. hierzu: W. Oelmüller, Die unbefriedigte Aufklärung, a.a.O. (Anm.32). Der Titel der Einleitung zur 2. Auflage lautet: Aufklärung als Prozeß von Traditionskritik und Traditionsbewahrung (I-XLVI).

Orientierung durch Selbstdenken bedeutet, daß man Klarheit gewinnt über "den Grund, warum man etwas annimmt", aber auch verändert oder ablehnt. Größere Klarheit gewinnt man über das, was der Mensch ist und sein kann, was er wissen kann, was er tun kann und soll, was er hoffen darf, was sein Leben in Politik und Geschichte bestimmt, was die letzte das Ganze umgreifende Orientierung ist, über die Leistungen von Religion, Wissenschaft, Kunst, Sprache.[60] Philosophisches Orientierungswissen ist ein Wissen, das man sich selbst erarbeitet hat durch Nachdenken über eigene und fremde gute und schlimme Lebenserfahrungen, durch kritisches Anknüpfen an Texte und Antwortversuche auf letzte Fragen und durch Gespräche mit anderen Menschen.

---

[60] S. hierzu: W. Oelmüller - R. Dölle-Oelmüller (Hrsg.), Philosophische Arbeitsbücher 1-8, UTB, Paderborn u.a. 1976-1991 (Diskurs: Politik, Diskurs: Sittliche Lebensformen, Diskurs: Religion, Diskurs: Geschichte, Diskurs: Kunst und Schönes, Diskurs: Metaphysik, Diskurs: Mensch, Diskurs: Sprache).

II.2. Hinweise für die Arbeit mit Texten zur Deutung des Menschen

II.2.1. Vorbemerkung

Jeder weiß aus eigener Lektüreerfahrung, daß sich nicht jeder Text in gleicher Weise und mit gleicher Methode dem Verständnis erschließt. Nicht selten muß man - vor allem am Anfang - philosophische Texte mehrmals lesen. Auch wer nach Jahren seinen 'Lieblingstext' wiederliest, kann an ihm neue Seiten entdecken. Andere Seiten entdeckt man auch dann, wenn man ihn mit einer anderen Fragestellung als früher und in einem anderen inhaltlichen Kontext liest. Beim Wiederlesen von Texten der jüdischen und griechischen Aufklärung, etwa bei den Schöpfungsgeschichten und dem Buch Hiob des Alten Testaments oder bei Sophokles und Platon, entdeckt man plötzlich - auch ohne neuere Verstehens- oder Interpretationstheorien - Fragen und Argumentationen, die uns näher stehen als die mancher Zeitgenossen oder Interpreten, auch dann, wenn man die unterschiedlichen geschichtlichen und geistesgeschichtlichen Bedingungen berücksichtigt, unter denen die Texte entstanden sind.

Es gibt ganz verschiedene Methoden, sich einen philosophischen Text zu erschließen: In sehr vielen Fällen ermöglicht das Erkennen des Aufbaus und der Argumentationsstruktur des ganzen Textes das Verständnis der Sache. Bei anderen Texten wird es hilfreich sein, genau die Struktur eines Satzes zu entschlüsseln, der ein Argument aufnimmt und bis zum Ende durchführt. Dies ist häufig etwa der Fall bei Kant. Ein andermal muß der inhaltliche Zusammenhang erst entdeckt werden. Dies ist etwa bei Pascals oder Marx' Fragmenten und Nietzsches Aphorismen notwendig. Hier ist es gar nicht möglich, die Strukturierung eines einheitlichen Textganzen herauszuarbeiten, wie es in Interpretationstheorien als erster Schritt bei allen Texten verlangt wird. Gelegentlich erschließt sich auch ein Text von einem (oder mehreren) Schlüsselsatz (-sätzen) aus, von dem aus die anderen Sätze und Argumente klarer werden; dies könnte bei Plessner oder Levinas hilfreich sein. Bei Dialogen machen oft die Einwürfe der Gesprächspartner auf noch offene Probleme und die Struktur der Argumentation aufmerksam. All dies sollte man sich bewußt machen, wenn man - vor allem als Anfänger in der Philosophie - auch an komplexen philosophischen Texten arbeitet.

Es gibt Interpretationstheorien für *die* Interpretation philosophischer Texte, die aufweisen wollen, daß sich die Lektüre nach ganz bestimmten formalen Schritten zu vollziehen habe. Es ist selbstverständlich, daß es bei allen verschiedenen genannten Möglichkeiten, wie man sich Texte erschließen kann, immer darum geht, die Aussagen des jeweiligen Autors zu verstehen, und nicht darum, die eigenen Gedanken in einen Text hereinzulesen oder den Text nur als Fundgrube für 'Merksätze' zu behandeln. Natürlich muß der Leser sich klarmachen, in welchem philosophischen und geschichtlichen Zusammenhang Aussagen eines bestimmten Autors stehen und welche spezifische Bedeutung ein Begriff bei ihm hat. Dafür ist es immer gut, Lexika zu befragen, philosophische und enzyklopädische. Aber trotz aller Sorgfalt wird wohl kein Leser, wenn er nur bestimmte methodische Regeln einhält, die "objektive Interpretation" zustande bringen, die "die Möglichkeit des fehlerlosen Transfers philosophischer und interpretierender Aussagen voraus(setzt)", wo für die Lektüre gilt: "Es ist völlig gleichgültig, ob dieser Leser ein Asiate oder Europäer, ein Grieche oder ein Zeitgenosse ist."[61]

---

[61] R. Brandt, Die Interpretation philosophischer Werke, in: W.D. Rehfus - H. Becker (Hrsg.), Handbuch des Philosophie-Unterrichts,

Bei vielen Texten wird die Schwierigkeit nicht darin bestehen, die wesentlichen Aussagen in der Sprache des jeweiligen Autors rekapitulieren zu können. **Zum Verstehen gehört oft, viele Aussagen und Probleme erst in die eigene Sprache und Erfahrungswelt 'zu übersetzen'.** Dazu gehört auch, daß man sich klar macht, auf welche gegenwärtigen Fragen der Text eine Antwort geben könnte, welche nur unzureichend geklärt werden oder offenbleiben und überhaupt nicht tangiert werden. Nicht nur sinnvoll, sondern geradezu **notwendig ist das Gespräch mit anderen.** Auch wenn sich nicht, wie Platon meinte, gleich die Wahrheit selbst im gemeinsamen Philosophieren zeigt: Wenn man gezwungen ist, Argumente selbst zu formulieren, zu erläutern und auf Fragen und Einwände zu antworten, wird einem selbst das Problem klarer.

Düsseldorf 1986, 229-241, hier: 234). Als Regeln der "objektiven Interpretation" schlägt Brandt vor: "Achte auf die Rolle des Autors, auf die Einheit der Schrift, die formale Struktur des Textes, die Externbeziehungen der entwickelten Gedanken, das Begründungstotum der Theorie und fasse die Beobachtungen, die einem eigenen Vergleich und der Frage nach der Bedeutung (im Unterschied zur Meinung des Autors) entspringen, als Eigentümlichkeiten und Charakteristika der zu interpretierenden Philosophie." (R. Brandt, Die Interpretation philosophischer Werke. Eine Einführung in das Studium antiker und neuzeitlicher Philosophie, Stuttgart - Bad Cannstadt 1984, 203). S. auch: M. Gatzemeier, Methodische Schritte einer Textinterpretation in philosophischer Absicht, in: F. Kambartel - J. Mittelstraß, Zum normativen Fundament der Wissenschaft, Frankfurt a.M. 1973, 281-317. Bei Gatzemeier sind die Interpretationsschritte seiner "Interpretationstheorie": Eliminierung aller für den Beweisgang und die jeweilige Leseabsicht irrelevanten Stellen, Herstellung eines synonymen Textes, Rekonstruktion des Wortgebrauchs (im Sinne einer "Orthosprache"), Rekonstruktion des Beweisgangs, Prüfung des Beweisgangs, systematisch-konstruktive Fortführung der geprüften Problemlösungsvorschläge.

Im folgenden werden relativ kurze Texte oder Textausschnitte vorgestellt und erläutert. Dies ist kein Plädoyer für 'Häppchenliteratur'.[62]

Die Absicht dieses ganzen 'Grundkurses. Philosophische Anthropologie' ist, durch historische und systematische Kenntnisse von Problemzusammenhängen einen ersten Überblick zu ermöglichen in einem Gebiet der Philosophie, von dem man bei einer vertiefenden Beschäftigung mit diesem Gebiet oder einem Autor ausgehen kann. Bei dieser intensiveren Beschäftigung muß der Stand der wissenschaftlichen Forschung mehr berücksichtigt werden.

Meine Erfahrung ist, daß Studierende sehr oft auch nach ihrem Examen nur detaillierte Spezialkenntnisse besitzen, sozusagen Inseln im Ozean des Faches, zwischen denen sie keine Verbindung sehen. Der 'Grundkurs. Philosophische Anthropologie' soll neugierig machen auf eine intensivere Beschäftigung. Daß dem 'Grundkurs' eine ganz bestimme Konzeption von Philosophie zugrunde liegt, zeigt der Erste Teil, wird aber auch bei der Auswahl der Texte sichtbar. Sie ist - wie jede Auswahl - begründbar. Andere würden, wenigstens zum Teil, eine andere Auswahl treffen. Wichtig war uns, den Zusammenhang der Diskussionen deutlich zu machen; dies Interesse verfolgen zum Teil auch die Anregungen für Interpretationen. Die chronologische Anordnung der Texte in den drei Ebenen und Epochen folgt dem Gedankengang der systematischen Ausführungen im Ersten Teil, ist aber kein Plädoyer für einen

---

[62] Ausführlichere Texte und Hinweise auf Sekundärliteratur gibt das 'Philosophische Arbeitsbuch 7. Diskurs: Mensch', a.a.O. (Anm. 1 u.2).

philosophiegeschichtlichen Zusammenhang als einzige Möglichkeit des Zugangs zur philosophischen Anthropologie. Man kann z.B. auch ausgehen vom Interesse an 'Antworten angesichts der gegenwärtigen Überlebens- und Lebensprobleme' (Abschnitt II.2.2.3), etwa an Aussagen von Skinner zur Verhaltensthechnologie oder von Moravec und Weizenbaum zur Computerwissenschaft, und von hier aus einen Zugang zu früheren Deutungen des Menschen gewinnen. Sehr aufschlußreich, interessant und lehrreich ist es, sich die Artikel 'Philosophische Anthropologie' oder 'Mensch' in den großen Lexika anzusehen, um von vornherein festzustellen, daß es *die* Anthropologie nicht gibt. Wegen der kontroversen Grundthesen und der verschiedenen Intentionen der Autoren und Lexika eignen sich besonders folgende Artikel: O. Marquard, Anthropologie (Historisches Wörterbuch der Philosophie), H. Fahrenbach, Mensch (Handbuch philosophischer Grundbegriffe), H. Plessner (Die Religion in Geschichte und Gegenwart), J. Habermas, Anthropologie (früher: Fischer-Lexikon, jetzt in: Kultur und Kritik).

II.2.2. Texte und Hinweise, die die drei Epochen der Anthropologie berücksichtigen

II.2.2.1. Was ist der Mensch? - Antworten am Beginn der europäischen Geschichte

- "Ungeheurer als der Mensch: nichts" (Sophokles, Antigone) (69-70)
- "Das noch nicht ausgestattete" Wesen: "nackt, ohne Schuhe, ohne Decken, ohne Waffen" (Platon, Prometheusmythos) (71-73)
- Das "Abbild Gottes" (1 Mose 1.1 - 3.24) (65-69)

Sophokles, Antigone, V.332-375

Ungeheuer: viel. / Aber ungeheurer als der Mensch: nichts. / Über
das graue Meer / zieht er / im heftigen Südsturm geraden Wegs /
durch die ringsum tosenden Wogen. / Der Güter höchstes, die Erde, /
die unzerstörbare, niemals ermattende / müht er ab. / Mit den Pflü-
gen, / Jahr für Jahr von den Pferden gewendet, /wühlt er sie auf. /
Und das Geschlecht der flüchtigen Vögel / umgarnt und fängt er /
und die Stämme der wilden Tiere / und die Früchte des Meeres im
Wasser. / Er fängt sie mit geflochtenem Netz, / der ringsum verständige Mensch. / Mit vielerlei Kunst besiegt er das schweifende
Wild auf den Höhn / und den mähnigen Nacken des Pferdes / und
den unermüdlichen Stier auf den Bergen / unterwirft er dem Joch. /
Und Rede und luftleichten Sinn / und städteordnenden Fleiß erlernte
er wohl. / Lernte zu fliehen / die Gastlosigkeit eisiger Berge / und die
Geschosse des Regens. Reich an Erfahrung. / Nie trifft ihn, als Uner-
fahrenen, Zukunft. / Nur vor dem Tode weiß er keinen Rat. / Aber
die Krankheit zu fliehn, / auch die schlimmste, / gut versteht das der
Mensch. / Weit über Erwarten begabt / mit Können und Geist /
schreitet er einmal zu Schlechtem, / einmal zu Gutem. / Ein Freund
der Stadt, / erfüllt er das Gesetz der Götter / und das beschworene
Recht. / Ein Feind der Stadt, / tut er das Schlechte, / frevelt, dem
trotzigen Wagnis zuliebe. / Nicht sei mir Tischgenosse, / nicht
Gleichgesinnter, / wer solches tut.

(übersetzt von Walter Jens)

Das Chorlied aus der 'Antigone' (Aufführung 442 v.Chr.) des
Sophokles ist ein bis heute bedenkenswerter Text. Größe und
Elend des Menschen im Verhältnis zu Natur und Göttern wird
deutlich: "Ungeheurer als der Mensch: nichts." "Der ringsum
verständige Mensch", der "weit über Erwarten begabt (ist) mit
Können und Geist", gestaltet die Natur um. Mit seinen technischen Geräten gelingt es ihm, die Natur für sich zu nutzen, bei
Sophokles vorwiegend zum Segen der Menschen; denn: "Der
Güter höchstes, die Erde," ist "unzerstörbar, niemals ermat-
tend". Was wir heute als Bedrohung durch die Technik täglich
erfahren, ja, die Möglichkeit der Zerstörung der Menschen

und der Welt, ist für Sophokles nicht vorstellbar. Tod des Menschen und Unzerstörbarkeit der Natur gehen über die Verfügung des Menschen hinaus. Das gute Leben der Menschen in der 'Stadt' hängt ab davon, ob der Mensch "das Gesetz der Götter und das beschworene Recht" erfüllt. Das gute Handeln der Menschen in Natur und Stadt ist nicht denkbar ohne die Unterordnung unter die Götter. **Das hier dargestellte Verhältnis der drei Instanzen Natur, Kultur, Gott in Bezug auf positive und negative 'Ungeheuerlichkeit' des Menschen ist bis heute bedenkenswert.**

Die zwei für unsere Tradition bedeutsamsten mythischen bzw. religiösen Deutungen der Entstehung des Menschen sind: die Deutung in den Horizonten Natur und Kultur im Prometheusmythos, zum anderen im Horizont Gott in den biblischen Geschichten.

Prometheusmythos
Platon, Protagoras 320b-323a[63]

Wenn du uns also genauer nachzuweisen vermagst, daß die Tüchtigkeit lehrbar ist, so enthalte uns das nicht vor, sondern teile es uns mit.

"Nein, Sokrates, ich [Protagoras] will es euch nicht vorenthalten. Soll ich es euch in einem Mythos darstellen, so wie ein Älterer zu einem Jüngeren spricht, oder soll ich es euch im Vortrag erläutern?"

---

[63] Platon, Jubiläumsausgabe sämtlicher Werke, eingeleitet von Olof Gigon, übersetzt von Rudolf Rufener, Zürich-München 1974, Bd.1 Frühdialoge.

Da entgegneten viele aus dem Kreise, er möge so vorgehen, wie er wolle.

"Nun, ich finde es hübscher, euch einen Mythos zu erzählen", sagte er.

"Es war also einmal eine Zeit, da gab es schon Götter, aber noch keine sterblichen Wesen. Als nun auch für diese die Zeit gekommen war, die das Schicksal für ihre Entstehung bestimmt hatte, formten die Götter sie im Schoß der Erde aus einem Gemisch von Erde und Feuer und allem, was sich mit Feuer und Erde verbinden läßt. Als sie aber im Begriffe waren, sie ans Licht zu bringen, gaben sie Prometheus und Epimetheus[64] den Auftrag, diese Wesen auszustatten und einem jeglichen die Fähigkeiten zu verleihen, die ihm zukommen. Epimetheus erbat sich von Prometheus, diese Zuteilung selbst vorzunehmen. "Wenn ich damit fertig bin", sagte er, "so prüfe mein Werk". So überredete er ihn und begann mit der Verteilung. Dabei verlieh er den einen Stärke, aber keine Schnelligkeit, und die Schwächeren stattete er dafür mit Schnelligkeit aus. Den einen schenkte er Waffen, den anderen gab er eine wehrlose Natur und dachte für sie eine andere Fähigkeit aus, mit der sie sich erhalten konnten. Denjenigen Wesen, die er in Kleinheit gehüllt hatte, gab er Flügel, mit denen sie fliehen konnten, oder eine unterirdische Behausung; den anderen, die er zur Größe ausdehnte, gab er gerade darin die Möglichkeit zur Rettung, und mit allen Gaben schaffte er so einen Ausgleich. Das aber richtete er ein aus Vorsorge, damit keine ihrer Gattungen vertilgt werde. Nachdem er sie aber hinreichend vor der gegenseitigen Ausrottung geschützt hatte, dachte er auch einen Schutz für sie aus gegen die Jahreszeiten, die Zeus uns sendet; er umkleidete sie mit dichten Haaren und einer festen Haut, die ausreichten, um die Kälte abzuhalten, die aber auch die Hitze abwehren und, wenn sie zur Ruhe gingen, einem jeden Lebewesen als eigene und selbstgewachsene Decke dienen konnten. Unten an den Füßen versah er die einen mit Hufen, die anderen mit harter und undurchbluteter Haut. Ferner verschaffte er jedem seine besondere Nahrung, den einen Gras aus der Erde, den andern Baumfrüchte, wieder anderen Wurzeln; es gibt auch solche, denen er zur Nahrung andere Tiere zu fres-

---

[64] Halbgötter; Prometheus bedeutet: der Vorausdenkende, Epimetheus: der zu spät Bedenkende, Erkennende.

sen gab. Diesen verlieh er nur eine geringe Nachkommenschaft, ihren Opfern dagegen eine sehr zahlreiche, um so ihre Art zu erhalten.

Weil nun aber Epimetheus nicht eben sehr gescheit war, hatte er, ohne es zu merken, alle Fähigkeiten für die vernunftlosen Wesen aufgebraucht; so blieb ihm als einziges das Menschengeschlecht, das noch nicht ausgestattet war, und er wußte keinen Rat, was er damit anfangen sollte.

Wie er noch in Verlegenheit ist, kommt Prometheus und will die Verteilung in Augenschein nehmen; er sieht, daß die übrigen Lebewesen mit allem angemessen ausgestattet sind, daß aber der Mensch nackt, ohne Schuhe, ohne Decken und ohne Waffen geblieben ist. Und schon war der schicksalhafte Tag da, an dem auch der Mensch aus der Erde ans Licht treten sollte. In seiner Verlegenheit, welches Mittel zur Rettung und Erhaltung er für den Menschen finden könnte, stiehlt er dem Hephaistos und der Athena[65] ihr kunstreiches Handwerk samt dem Feuer - denn es war unmöglich, es ohne Feuer zu erwerben oder nutzbar zu machen - und schenkt beides dem Menschen. Die Kunst, sein Leben zu führen, erhielt also der Mensch auf diese Weise; die Staatskunst dagegen besaß er noch nicht. Denn diese lag bei Zeus. Prometheus wiederum hatte keine Möglichkeit mehr, in die Hochburg, die Behausung des Zeus hineinzukommen; abgesehen davon, daß Zeus furchterregende Wachen davor aufgestellt hatte. Doch in die gemeinsame Werkstatt der Athena und des Hephaistos, wo sie ihren kunstvollen Liebhabereien nachgingen, schleicht er sich ein, stiehlt die Handwerkskunst des Hephaistos, die sich des Feuers bedient, und die andere der Athena und schenkt sie den Menschen. Von da an besitzt der Mensch die nötigen Hilfsmittel zum Leben; den Prometheus aber traf später, so erzählt man sich, die Strafe für seinen Diebstahl.

Nachdem nun der Mensch am göttlichen Los Anteil hatte, begann er erstens wegen dieser Verwandtschaft mit dem Gott als einziges Lebewesen an Götter zu glauben und machte sich daran, Altäre und

---

[65] Hephaistos: Gott des Feuers, der Schmiede und der Handwerker; Athena: Schützerin der Städte, besonders Athens, des Handwerks, der Künste und Wissenschaften.

Götterbilder zu errichten; sodann fing er bald auch an, Laute und Wörter auf kunstmäßige Art zu artikulieren und erfand den Bau von Wohnungen und die Herstellung von Kleidern, Schuhen und Decken und den Gebrauch der Lebensmittel, die die Erde hervorbringt. So versehen, wohnten die Menschen anfangs zerstreut, und es gab noch keine Städte; so kamen sie denn durch die wilden Tiere um, weil sie in jeder Hinsicht schwächer waren als sie und weil das handwerkliche Können, das ihnen für die Gewinnung der Nahrung genügend Hilfe bot, für die Bekämpfung der Tiere nicht ausreichte. Sie besaßen ja die Staatskunst noch nicht, von der die Kriegskunst ein Teil ist. Sie schlossen sich also zusammen und versuchten so ihre Rettung, indem sie Städte gründeten. Doch als sie nun beisammen waren, taten sie einander unrecht, weil sie ja die Staatskunst noch nicht besaßen; die Folge war, daß sie sich wieder zerstreuten und weiter umkamen.

Nun befürchtete Zeus, unser ganzes Geschlecht könnte zugrunde gehen, er schickt deshalb den Hermes[66] ,den Menschen sittliche Scheu und Rechtsgefühl zu bringen, damit diese den Städten Ordnung und Eintracht stiftende Bande geben möchten. Hermes fragte nun Zeus, auf welche Weise er den Menschen Recht und Scheu geben solle: "Muß ich sie auch so verteilen, wie die Künste verteilt sind? Bei diesen ist die Verteilung folgendermaßen: ein einziger, der die ärztliche Kunst besitzt, genügt für viele Laien, und ebenso bei den anderen Berufen. Soll ich also auch Recht und sittliche Scheu auf diese Weise den Menschen verleihen, oder soll ich sie an alle verteilen?" "An alle", erwiderte Zeus, "und alle sollen daran teilhaben; denn es könnten keine Städte entstehen, wenn nur wenige daran teilhätten wie an den anderen Künsten. Und stelle in meinem Namen das Gesetz auf, daß man den, der an Scheu und Recht keinen Anteil haben kann, umbringen soll als einen Kranken am Leibe der Stadt."

Damit und aus diesem Grunde, Sokrates, glauben also die Athener und alle anderen Völker, daß, wenn es sich um die Tüchtigkeit im Bauen oder sonst um ein Handwerk handelt, nur wenige an der Beratung teilnehmen sollen. Und wenn außer diesen wenigen jemand trotzdem seinen Rat geben will, so lassen sie das nicht zu, wie du

---

[66] Götterbote, Gott der Herden und des Handels.

sagst, und zwar durchaus mit Recht, wie ich beifüge. Schreiten sie aber zur Beratung über eine Frage, bei der es auf die bürgerliche Tüchtigkeit ankommt, die ganz nur mit Gerechtigkeit und Besonnenheit gelöst werden kann, so anerkennen sie gebührend jedes Mannes Rat, in der Meinung, daß jeder an dieser Tüchtigkeit teilhaben müsse, wenn Städte überhaupt Bestand haben sollen. Das, Sokrates, ist der Grund davon.

Im 'Prometheus-Mythos' aus *Platons* 'Protagoras'[67] erzählt Protagoras die Geschichte, **wie das 'Mängelwesen' Mensch entstand, wie es zum Überleben und schließlich zum guten Leben befähigt wurde.** Der **Horizont**, in dem die Menschwerdung sich vollzieht, ist der Göttern und Menschen vorgegebene **Kosmos.** Auch die Götter sind an die vom Schicksal (heimarmene) vorgegebene Zeitordnung und Gesetzlichkeit gebunden: "Als für diese (die sterblichen Wesen) die Zeit gekommen war, die das Schicksal für ihre Entstehung bestimmt hatte, formten die Götter sie im Schoß der Erde." Auch die jedem Lebewesen "zukommenden" Fähigkeiten sind von Natur verfügbar. Das Überleben einer jeden Gattung wird durch "Ausgleich" der Fähigkeiten garantiert. Außer der Kompensation der Fähigkeiten, die die "gegenseitige Ausrottung" der Gattungen verhindert, ist die natürliche Ausstattung so, daß für Schutz gegen die Natur und Nahrung durch die Natur gesorgt ist. Gegen diese offensichtlich geordnete Natur der "vernunftlosen Wesen" hebt sich im zweiten Teil die von Epimetheus, der "nicht eben sehr gescheit war", verursachte **physi-**

---

[67] Die Darstellung läßt sowohl die sophistische These von der natürlichen Beschaffenheit des Menschen erkennen als auch Platons Vorstellung vom sittlichen Handeln des Menschen. S. hierzu: R. Dölle-Oelmüller, Der Mythos vom Überleben und guten Leben des Menschen, in: Zeitschrift für Didaktik der Philosophie, 13.Jg. H.3 (1991) 187-190.

Protagoras von Abdera (ca. 485-415 v.Chr.) war einer der führenden Sophisten; überliefert ist sein Ausspruch: "Der Mensch ist das Maß aller Dinge."

sche 'Mängelkonstitution' des Menschen drastisch ab. Prometheus "sieht, daß die übrigen Lebewesen mit allem angemessen ausgestattet sind, daß aber der Mensch nackt, ohne Schuhe, ohne Decken und ohne Waffen geblieben ist". Doch dem Mythos geht es nicht darum, im Vergleich Tier - Mensch angesichts der vollkommenen Ordnung der Natur die 'natürlichen' Mängel des Menschen durch das Versagen eines (halb-) göttlichen Wesens zu erklären. Durch noch **zweimaliges Eingreifen der Götter** wird die 'Natur' des vernünftigen Wesens Mensch erst vollendet. Das erste Eingreifen der Götter gilt der **Erhaltung der Gattung Mensch**. Erst durch das Geschenk der "Handwerkskunst" erhält der Mensch "die nötigen Hilfsmittel zum Leben", d.h. der Mensch ist 'von Natur' ein Kulturwesen. Aber **zum Menschen wird der Mensch erst durch das nochmalige Eingreifen der Götter**. Zeus selbst schenkt den Menschen die Staatskunst, "sittliche Scheu und Rechtsgefühl".

Nicht als physisches 'Mängelwesen', nicht als Kultur und Technik schaffendes und die Natur veränderndes Wesen, sondern als **politisch-moralisches Wesen**, durch dessen "bürgerliche Tüchtigkeit" "Städte überhaupt Bestand haben", kann der Mensch überleben und gut leben. Diese politische Ordnung ist sozusagen die 'natürliche' Ordnung des Menschen.

Die beiden biblischen Geschichten[68]

Die beiden Schöpfungsberichte der *'Genesis'* erzählen auf verschiedene Weise, wie Gott bei der Erschaffung der Welt das lebensfeindliche Chaos in eine lebensermöglichende Welt verwandelt hat und daß der **Mensch als Beauftragter und Ebenbild Gottes auf der Erde** herrschen, sie bebauen und bewahren soll. Gleichzeitig erzählt die 'Genesis' vom **Fall des Menschen** und von den **Folgen dieses Falls**. Leiden und Übel werden durch die Wahl des Menschen erklärt. Gott hat Himmel und Erde, den Menschen, Pflanzen und Tiere geschaffen. Dem von Gott mit freiem Willen geschaffenen Menschen - nach dem ersten Schöpfungsbericht "das Abbild Gottes" - vertraut er die Erde an. Die Namengebung, d.h. damit die Herrschaft über alle "lebendigen Wesen", ist dem Menschen überlassen. Gott "führte sie dem Menschen zu, um zu sehen, wie er sie benennen würde" (2.20). *Ein* Gebot, das Gebot, nicht vom Baum der Erkenntnis zu essen (2,17), ist dem Menschen gegeben. Er hat die Wahl, es zu halten oder zu übertreten. Aus der 'schlechten' Wahl folgt die Beendigung des ursprünglichen guten Zustands der Welt: Arbeit, Mühsal, Schmerzen, Tod. Der Mensch selbst, der wie Gott sein wollte und von dem Gott sagt: "Seht, der Mensch ist geworden wie wir; er erkennt Gut und Böse" (3.22), hat den bösen Zustand der Welt gewählt. Gott ist bei der Wahl "abwesend". Erst nach der Tat erscheint er wieder "im Garten". Die von Gott geschaffene Welt ist nach diesen Erzählungen seitdem für den Menschen keine heile Welt und kein paradiesischer Urzustand.

---

[68] Ein Abdruck des Textes erübrigt sich meiner Meinung, da wohl jeder sich leicht eine Bibel beschaffen kann.

> Ohne die Kenntnis dieser Erzählung von der Erschaf-
> fung der Welt und des Menschen durch den der Welt
> gegenüber unabhängigen Schöpfergott und vom Fall
> des Menschen sind sehr viele Deutungen des Menschen
> in unserer Tradition unverständlich.

Dies gilt sowohl für die Autoren (z.B. Augustinus, Thomas
von Aquin, Pascal, Kant, Kierkegaard, Levinas), für die die
Stellung und Aufgabe des Menschen ohne die jüdisch-christliche Gottesvorstellung nicht zureichend begriffen werden
können, als auch für die (z.B. Marx, Darwin, Freud, Camus,
Monod), die sich von dieser Deutung distanzieren. Für manche Christen, nicht nur für die Kreationisten in den USA, sondern auch zunehmend in Deutschland[69], erklärt auch heute
nur die biblische Geschichte zureichend den gegenwärtigen
Zustand der Welt und des Menschen. So sagt etwa Spaemann:
*"Die christliche Lehre von der Erbsünde erzählt eine Ge-
schichte, die nicht eingebettet ist in den Kosmos, so wie wir
ihn kennen, sondern umgekehrt eine Geschichte, die die Verfassung dieses Kosmos selbst erst erklärt." "Man kann nur ...
entweder diese Geschichte akzeptieren als eine unvordenk-
liche Geschichte, die als Geschichte aller Beschreibung des
gegenwärtigen Kosmos vorausliegt, oder man soll sich damit
bescheiden, eine Theorie der gegenwärtigen Welt zu machen,
so wie sie ist, und soll alle Versuche, Fragen zu stellen, war-*

---

[69] S. G. Haaf, Darwin contra Genesis. Schöpfung oder Evolution? In
Amerika muß ein Gericht entscheiden, ob die Bibel doch recht hat,
in: Die Zeit, 8.1.1982; V. Stollorz, Mit der Bibel gegen Darwin. Für
manche Christen ist die Evolutionstheorie unvereinbar mit der Heiligen Schrift. Ihre Lehre findet in Deutschland zunehmend Resonanz,
in: Die Zeit, Nr.5, 29.1.1993, 35.

um sie nicht besser ist, fallenlassen.[70] Für ihn gibt es nur die Alternative: entweder Erklärung des gegenwärtigen Zustands des Menschen durch den Sündenfallmythos oder die - dem Selbstverständnis des Menschen nicht genügende - evolutionstheoretische Erklärung.

Diese drei für unsere Tradition zentralen Texte, die bis in die gegenwärtigen Diskussionen immer wieder herangezogen und neu interpretiert werden, können aus mehreren Gründen den Zugang zu philosophischen Deutungen des Menschen erleichtern:

- Sie sind anschaulich, sprachlich einfach, ohne schwierige philosophische Begrifflichkeit; die Darstellung dessen, was der Mensch ist, erfolgt bei Platon und in der Bibel in der Form des Mythos, einer Erzählung.

- Es wird von Anfang an deutlich, daß es nicht nur *eine* Deutung des Menschen in unserer Tradition gibt, sondern mehrere, die für Menschen bedeutsam waren und auch heute zu denken geben können.

- Die drei letzten Horizonte Gott, Natur, Kultur werden verständlich, in denen zu Beginn der europäischen Geschichte der Mensch gedeutet wurde, die man aber auch bei modernen Deutungen unterscheiden kann. Dadurch wird ein Rahmen geschaffen, der bei der Lektüre verschiedener Autoren aus verschiedenen Zeiten Ordnung und Zusammenhang herstellt.

---

[70] R. Spaemann, Transformationen des Sündenfallmythos, in: W. Oelmüller (Hrsg.), Worüber man nicht schweigen kann, a.a.O. (Anm.18), 15-24, hier: 17, 22. S. hierzu auch die vielen kritischen Anfragen von Philosophen und Theologen bei der Diskussion dieser Thesen, 30-53.

II.2.2.2. Moderne Deutungen des Menschen

Antwortversuche im Horizont Natur

> - "Der Mensch verdankt seinen Ursprung nicht einem separaten Schöpfungsakt", sondern ist das Ergebnis der Evolution (Darwin) (202-211)
> - "An sich ist diese Welt nicht vernünftig". Der Mensch muß "dem Absurden ins Auge sehen" und "so intensiv wie möglich leben" (Camus) (283-292)

Viele, auch junge Menschen heute, für die die Traditionen der jüdisch-christlichen Gottesrede keine überzeugende Orientierung geben oder denen diese Traditionen nichts mehr bedeuten, suchen eine Antwort auf die Frage, was der Mensch ist, in der menschlichen und außermenschlichen Natur. Sie sehen wie **Darwin** und die Evolutionstheorie bis heute den Menschen ausschließlich als Produkt der Evolution; andere sehen nur wie **Camus** die absurde Existenz des Menschen in dem sinnleeren Universum. Darwin und Camus lehnen aus unterschiedlichen Gründen und mit unterschiedlichen Konsequenzen die jüdisch-christliche Gottesvorstellung mit ihrer Deutung des Menschen ab.

Charles Darwin, Die Abstammung des Menschen (1871)

Die wichtigste Schlußfolgerung, zu der wir hier gekommen sind, und die jetzt von vielen kompetenten und urteilsfähigen Naturforschern angenommen wird, ist der Satz, daß der Mensch von einer weniger hoch organisierten Form abstammt. Die Gründe, worauf diese Schlußfolgerung ruht, werden niemals erschüttert werden. Die große Ähnlichkeit zwischen dem Menschen und den unter ihm stehenden

Tieren sowohl in der Embryonalentwicklung als auch in unzähligen bedeutungsvollen oder auch bedeutungslosen Punkten der Struktur und der Konstitution, die Rudimente, die er noch bewahrt, und die abnormen Rückschläge, denen er zuweilen unterworfen ist - das sind Tatsachen, die nicht bestritten werden können. Man hat sie schon lange gekannt, aber bis vor kurzem haben sie uns nichts über den Ursprung des Menschen zu sagen gewußt. Wenn man sie jetzt im Lichte unserer Kenntnisse über die ganze organische Welt betrachtet, ist ihre Bedeutung unverkennbar. Das große Prinzip der Entwickelung steht da klar und fest, wenn diese Tatsachen-Gruppen betrachtet werden in Verbindung mit anderen, wie den wechselseitigen Verwandtschaftsbeziehungen der Glieder einer Gruppe, ihrer geographischen Verbreitung in Vergangenheit und Gegenwart, und ihrer geologischen Aufeinanderfolge. Es ist unglaublich, daß alle diese Tatsachen eine falsche Sprache reden sollten. Wer nicht gleich einem Wilden damit zufrieden ist, die Naturerscheinungen als unzusammenhängende Geschehnisse zu betrachten, der kann nicht länger mehr glauben, daß der Mensch seinen Ursprung einem separaten Schöpfungsakt verdanke. (203)

Wenn wir zu dieser Schlußfolgerung vom Ursprung des Menschen gekommen sind, so stellt sich uns der hohe Zustand unserer intellektuellen Fähigkeiten und moralischen Disposition als die größte Schwierigkeit dar. ... Der Intellekt muß für ihn allesbedeutend gewesen sein, selbst in einer sehr weit zurückliegenden Periode, da er ihn in den Stand gesetzt hat, die Sprache zu erfinden und anzuwenden, Waffen, Werkzeuge, Fallen usw. herzustellen, wodurch er, unterstützt durch seine sozialen Gewohnheiten, schon seit langem das über alle anderen Geschöpfe herrschende Tier geworden ist. ... Ein noch mehr interessierendes Problem ist die Entwickelung der moralischen Qualitäten. Der Grund dazu liegt in den sozialen Instinkten, worin die Familienbande miteingeschlossen sind. ... Als moralisches Wesen bezeichnet man ein solches, welches fähig ist, seine früheren Handlungen und deren Motive zu überlegen, dabei die einen gutheißend, die anderen verwerfend; und die Tatsache, daß der Mensch ein Wesen ist, welches Anspruch auf diese Bezeichnung hat, ist der größte Unterschied zwischen ihm und den unter ihm stehenden Tieren. Aber im vierten Kapitel habe ich mich bemüht, zu zeigen, daß das moralische Gefühl entspringt: erstens aus der ausdauernden und immer gegenwärtigen Natur der sozialen Instinkte; zweitens aus der

Bewertung der Anerkennung oder des Tadels der Mitmenschen; drittens aus der großen Aktivität der geistigen Fähigkeiten und äußerster Lebendigkeit früherer Eindrücke.(206-208)

Als größter und bedeutsamster Unterschied zwischen dem Menschen und den Tieren ist häufig der Glaube an Gott dargestellt worden. Es ist indessen, wie wir gesehen haben, unmöglich, zu behaupten, dieser Glaube sei dem Menschen angeboren oder instinktiv. Andererseits scheint der Glaube an alles durchdringende geistige Kräfte universal zu sein; dieser Glaube bedeutet offenbar einen beträchtlichen Fortschritt der menschlichen Vernunft und einen noch größeren Fortschritt seiner Einbildungskraft. (209)

Ich weiß, daß manche die Schlüsse, zu denen dieses Werk gelangt, als höchst irreligiös denunzieren werden; allein, wer dies tut, muß zeigen, warum es irreligiöser ist, den Ursprung des Menschen als einer distinkten Spezies durch die Abstammung von einer niederen Form zu erklären, vermittelst der Gesetze der Variation und natürlichen Zuchtwahl, als es ist, wenn man die Entstehung des Individuums durch die Gesetze der gewöhnlichen Reproduktion erklärt. Die Entstehung der Art wie des Individuums sind beide gleiche Teile jener großen Folge von Ereignissen, die unser Geist unmöglich als das Resultat bloßen Zufalls ansehen kann - ob wir nun fähig sind oder nicht, zu begreifen, daß jedes geringfügige Variieren der Struktur die Vereinigung eines jeden Paares in der Ehe, die Verbreitung eines jeden Samenkornes, und andere derartige Ereignisse samt und sonders einem spziellen Zwecke dienen. (210)

Für manche Christen ist, wie bereits gesagt, bis heute die Evolutionstheorie Darwins *der* Angriff auf die Vorstellung des jüdisch-christlichen Gottes, der Welt als Schöpfung Gottes und des Menschen als Gottes Bild. Für moderne Naturwissenschaftler, für die die Evolutionstheorie ein "unerschütterliches Paradigma" (Mohr) ist, ist das wissenschaftliche Weltbild gottlos, aber nicht antitheistisch. Die Frage, ob die Materie von Gott geschaffen ist, ist kein Thema der Wissenschaft, ist mit wissenschaftlichen Methoden nicht diskutierbar.

Die zentralen inhaltlichen Aspekte von Darwins Deutung des Menschen sind im Ersten Teil dieses 'Grundkurses' dargestellt. Vieles spricht nach meinen Erfahrungen dafür, einmal einen Darwin-Text genau zu lesen: Die meisten haben aus dem Biologieunterricht und allgemeinen Diskussionen zumeist Kenntnisse über die Evolution, kennen häufig auch die zentralen Begriffe der Evolutionstheorie Darwins und die Bedeutung von 'natürliche Zuchtwahl', 'Selektion', 'Kampf um die Existenz' usw.. Sie kennen zumeist auch bildliche Darstellungen der Stufen der Evolution. Sie kennen jedoch in den seltensten Fällen die Ausführungen von Darwin, und sie kennen nicht die Aussagen der Evolutionstheorie, die über die rein physische Entwicklung hinausgehen.

Selbstverständlich ist es für die Kenntnis der gegenwärtigen Diskussionen auch nützlich, die weiterentwickelte Evolutionstheorie von **Monod** zu studieren (272-282), der in seinem Buch 'Zufall und Notwendigkeit' seine Forschungen zur Aufklärung der molekularen Mechanismen der Vererbung und der Steuerung von Lebensvorgängen zusammenfaßt zu einer umfassenden Erklärung der Entstehung des Lebens. Er macht vor allem auf die Gefahren aufmerksam, die sich nach seiner Meinung für die Menschheit heute ergeben und fordert eine "totale Revision" aller bisherigen politischen, moralischen, religiösen und politischen Ideen und die Preisgabe aller traditionellen Wertvorstellungen. Ist aber wirklich eine neuen evolutionstheoretischen Erkenntnissen entsprechende "Ethik der Erkenntnis", deren Ansätze Monod in seinem Buch entwickelt, besser als die Ethiken der Tradition in der Lage, Antworten zu geben auf letzte Fragen des Denkens, Handelns, Leidens und Hoffens der Menschen, auch auf die Frage: Was ist der Mensch?

Die Grenzen einer auf einem reduzierten Rationalitäts-
und Wissenschaftsbegriff beruhenden Deutung des
Menschen und menschlichen Handelns könnten bei
evolutionstheoretischen Deutungen klar werden. Gerade den vielen, die heute allein von der Wissenschaft
Orientierung in ihren letzten Fragen erwarten, müßten
die immer deutlicher werdenden Grenzen der Wissenschaft zu denken geben.

Albert Camus, Der Mythos von Sisyphos[71] (1942)

An sich ist diese Welt nicht vernünftig - das ist alles, was man von
ihr sagen kann. Absurd aber ist die Gegenüberstellung des Irrationa-
len und des glühenden Verlangens nach Klarheit, das im tiefsten Innern des Menschen laut wird. Das Absurde hängt ebensosehr vom
Menschen ab wie von der Welt. Es ist zunächst das einzige Band
zwischen ihnen. ... Das Absurde entsteht aus dieser Gegenüberstellung des Menschen, der fragt, und der Welt, die vernunftwidrig
schweigt. Das dürfen wir nicht vergessen. Daran müssen wir uns
klammern, weil die ganze Folgerichtigkeit eines Lebens daraus her-
vorgehen kann. Das Irrationale, das Heimweh des Menschen und das
Absurde, das sich aus ihrem Zwiegespräch ergibt, sind die drei Figuren des Dramas, das notwendigerweise mit der ganzen Logik enden
muß, deren eine Existenz fähig ist. ...

---

[71] Im griechischen Mythos ist Sisyphos der schlaue und listige Be-
trüger, dem es sogar gelang, den Tod zu überlisten. Für seine Frevel
wurde er in der Unterwelt bestraft: Er muß einen Felsblock einen
Hang hinaufwälzen, der jedesmal unter dem Gipfel wieder in die
Tiefe rollt, von wo Sisyphos ihn wieder auf den Gipfel wälzen muß.
Für Camus ist Sisyphos "der Held des Absurden".

Ich kann in dieser Welt alles widerlegen, was mich umgibt, mich vor den Kopf stößt oder begeistert, nur nicht dieses Chaos, diesen König Zufall und diese göttliche Gleichwertigkeit, die aus der Anarchie erwächst. Ich weiß nicht, ob diese Welt einen Sinn hat, der über mich hinausgeht. Aber ich weiß, daß ich diesen Sinn nicht kenne und daß ich ihn zunächst unmöglich erkennen kann. Was bedeutet mir ein Sinn, der außerhalb meiner Situation liegt? Ich kann nur innerhalb menschlicher Grenzen etwas begreifen. Was ich berühre, was mir Widerstand leistet, das begreife ich. Und ich weiß außerdem: diese beiden Gewißheiten - mein Verlangen nach Absolutem und nach Einheit und das Unvermögen, diese Welt auf ein rationales, vernunftgemäßes Prinzip zurückzuführen - kann ich nicht miteinander vereinigen. Was für eine andere Wahrheit kann ich erkennen, ohne zu lügen, ohne eine Hoffnung einzuschalten, die ich nicht habe und die innerhalb meiner Situation nichts besagt?

Wenn ich Baum unter Bäumen wäre, Katze unter den Tieren, dann hätte dieses Leben einen Sinn oder vielmehr: dieses Problem bestünde überhaupt nicht, denn dann wäre ich ein Teil dieser Welt. Ich *wäre* diese Welt, zu der ich mich jetzt mit meinem ganzen Bewußtsein und mit meinem ganzen Anspruch auf Vertrautheit in Gegensatz befinde. Eben diese so höhnische Vernunft setzt mich in Widerspruch zur ganzen Schöpfung. (283-284)

Was aber bedeutet das Leben in einem solchen Universum? Nichts anderes zunächst als die Gleichgültigkeit der Zukunft gegenüber und das leidenschaftliche Verlangen, alles Gegebene auszuschöpfen. Der Glaube an den Sinn des Lebens setzt immer eine Wertskala voraus, eine Wahl, unsere Vorlieben. Der Glaube an das Absurde lehrt nach unseren Definitionen das Gegenteil. Es lohnt, dabei zu verweilen.

Mich interessiert nur, ob man unwiderruflich leben kann. Ich will diese Ebene nicht verlassen. Kann ich mich mit dem Gesicht des Lebens, so wie es mir gegeben ist, abfinden? Nun - angesichts dieser besonderen Sorge will der Glaube an das Absurde wieder die Qualität der Erfahrungen durch deren Quantität ersetzen. Wenn ich mich davon überzeuge, daß das Leben einzig das Gesicht des Absurden hat, wenn ich erfahre, daß sein ganzes Gleichgewicht auf diesem ewigen Gegensatz zwischen meiner bewußten Auflehnung und der Dunkelheit beruht, in der diese sich abspielt, wenn ich zugebe, daß meine Freiheit nur in ihrer Beziehung auf ihre schicksalhafte Begrenzung sinnvoll ist - dann muß ich sagen, daß es nicht gilt, so gut wie möglich, sondern so lange wie möglich zu leben. Ich brauche mich nicht zu fragen, ob das gewöhnlich oder widerwärtig, fein oder bedauerlich ist. Ein für alle Male: die Werturteile sind hier zugunsten der sachlichen Urteile beseitigt. Ich darf nur von dem aus schließen, was ich sehen kann, und ich darf nichts riskieren, was eine Hypothese ist. Angenommen, es wäre nicht anständig, so zu leben, dann würde die wahre Anständigkeit mir gebieten, unanständig zu sein. (289-290)

Aber es ist wieder das Absurde und sein widerspruchsvolles Leben, das uns belehrt. Der Irrtum besteht nämlich in der Meinung, daß die Quantität der Erfahrungen von unseren Lebensumständen abhinge; sie hängt nur von uns selber ab. Wir müssen hier vereinfachen. Zwei Menschen, die die gleiche Anzahl von Jahren leben, liefert die Welt stets auch die gleiche Menge von Erfahrungen. Wir müssen uns ihrer nur bewußt werden. Sein Leben, seine Auflehnung und seine Freiheit so stark wie möglich empfinden - das heißt: so intensiv wie möglich leben. Wo die Klarheit regiert, wird die Wertskala nutzlos. Seien wir noch einfacher. Sagen wir: das einzige Hindernis, der einzige 'Mangel an Gewinn' liegt im vorzeitigen Tode. Keine Tiefe, keine Erregung, keine Leidenschaft und kein Opfer könnten demnach in den Augen des absurden Menschen (selbst wenn er es wünschte) ein bewußtes Leben von vierzig Jahren und eine sechzig Jahre während Klarheit einander gleichwertig machen. Die Narrheit und der Tod sind seine unheilbaren Übel. Der Mensch hat nicht die Wahl. Das Absurde und der Zuwachs an Leben, den es mit sich bringt, *hängen also nicht vom Willen des Menschen ab,* sondern von seinem Gegenteil, vom Tode. Wenn ich die Worte richtig wäge, ist alles einzig und allein eine Sache des Glücks. Damit muß man sich abzufinden wissen. Zwanzig Jahre Leben und Erfahrung lassen sich nie mehr ersetzen.(291-292)

Nach Camus vertreibt **der absurde Mensch** "aus dieser Welt einen Gott, der mit dem Unbehagen und mit der Vorliebe für nutzlose Schmerzen in sie eingedrungen war." Er **"macht aus dem Schicksal eine menschliche Angelegenheit, die unter Menschen geregelt werden muß"** (296). Einen Sinn der

Welt kann der Mensch nicht erkennen. Trotzdem kann der Mensch die Frage nach einem Sinn der Welt nicht einfach als sinnlos erklären, als etwas, worüber man schweigen muß. Wenn der Mensch "Baum unter Bäumen wäre, Katze unter den Tieren", dann bestünde dieses Problem nicht, dann wäre er "Teil der Welt". Aber die "so höhnische Vernunft setzt mich in Widerspruch zur ganzen Schöpfung". Welt und Natur, das ist für Camus nicht der nach wissenschaftlichen Gesetzen verlaufende Evolutionsprozeß, es ist aber auch nicht der vernünftig geordnete Kosmos, an dem man sich ausrichten und dem gemäß man leben kann, wie es die Stoiker glaubten. Schon gar nicht kann der Mensch sie als Gottes gute Schöpfung anerkennen; denn schon wegen "des Lebens, das ihm als Mensch bereitet ist", "erklärt (er) sich von der Schöpfung betrogen"[72].

> **Das Universum ist sinnleer.** In ihm kann es nicht die Bestimmung des Menschen sein, so gut wie möglich zu leben. Camus setzt **"Quantität statt Qualität"**. Wenn Tod und Selbstmord die Kapitulation, Preisgabe der einzigen Würde des Menschen bedeutet, die in der Auflehnung gegen seine Lage besteht, dann ist es konsequent, "die Qualität der Erfahrungen durch deren Quantität [zu] ersetzen", so daß "es nicht gilt, so gut wie möglich, sondern **so lange wie möglich zu leben**", "so intensiv wie möglich [zu] leben".

Sisyphos, das Paradigma des absurden Menschen, ist nicht deshalb ein "glücklicher Mensch" (297), weil er auf ein Ende

---

[72] A. Camus, Der Mensch in der Revolte, rororo 1216, Reinbek 1969, 22.

seiner Leiden hoffen kann. "Der absurde Mensch sagt Ja, und seine Mühsal hat kein Ende mehr." (296) 'Glück' bedeutet, daß der Mensch sein Leben nicht als Schicksal hinnimmt, das von Gott oder Göttern bereitet ist - Sisyphos ist "der ohnmächtige und rebellische Prolet der Götter" (295) - , sondern: "sein Schicksal gehört ihm". Es gibt "kein übergeordnetes Schicksal", und er "weiß sich als Herr seiner Zeit" (296). "Überzeugt von dem rein menschlichen Ursprung alles Menschlichen" "findet er, daß alles gut ist" (297).

Am Schluß seines Buches erzählt Camus in dem letzten Kapitel: 'Der Mythos von Sisyphos' mit den Abschnitten 'Der ewige Rebell' und 'Fluch und Seligkeit' (293-297) den antiken Mythos des Sisyphos in seiner neuen Version. Sisyphos ist für ihn *das* Beispiel einer absurden Existenz. Ohne die Kenntnis davon, was Camus' Begriff des Absurden bedeutet, was er unter absurdem Leben versteht, in dem nicht die Qualität, sondern die Quantität des Lebens (le plus vivre) ausschlaggebend ist, kann diese Geschichte nicht verstanden werden. Schon gar nicht kann man den letzten Satz des Buches verstehen, warum gerade für den in alle Ewigkeit den Fels wälzenden Sisyphos gilt: "Wir müssen uns Sisyphos als einen glücklichen Menschen vorstellen."

Es empfiehlt sich auch die Lektüre von Camus' Roman 'Die Pest'. Pest ist für Camus die Metapher für alle sinnlosen Leiden, Tod und Untergang. Camus zeichnet in der Figur des Dr. Rieux eine solche absurde Existenz. Rieux verzweifelt nicht, sondern kämpft mit aller Aufopferung, deren er fähig ist, gegen die Schöpfung, gegen den abwesenden und schweigenden Gott. Er hilft den Pestkranken und Sterbenden, soviel er kann. Er möchte "ohne Heldentum" und "Heiligkeit" versuchen, "ein Mensch zu sein", was sein Gesprächspartner Tarrou gleichsetzt mit "ein Heiliger ohne Gott" zu sein.

Für viele, auch junge Menschen heute, für die die Traditionen der jüdisch-christlichen Gottesrede keine überzeugende Antwort geben auf die Frage: Was ist der Mensch? und denen diese Traditionen nichts mehr bedeutetn, kann diese von jedem Zynismus freie skeptische Position Camus' eine überzeugende Antwort sein. Allen, auch denen, für die die Traditionen der jüdisch-christlichen Gottesrede noch nicht zur erledigten Vergangenheit gehören, kann sie zu denken geben und ein Appell sein zum Einsatz gegen Leiden, Unterdrückung und Tod in einer absurden Welt, die auf unsere Fragen und Klagen schweigt.

Antwortversuche im Horizont Kultur

- "Der Mensch ist durch seine Vernunft bestimmt, in einer Gesellschaft mit Menschen zu sein, und in ihr sich durch Kunst und Wissenschaften zu kultivieren, zu zivilisieren und zu moralisieren." (Kant) (158-173)
- Das "entfremdete Leben" des "entfremdeten Menschen" und die "Aufhebung aller Entfremdung, also die Rückkehr des Menschen ... in sein menschliches, d.h. gesellschaftliches Dasein" (Marx) (189-202)
- Der Mensch ist "Mängelwesen und Prometheus". (Gehlen) (225-241, vor allem 227-231, 233-238)

Viele, vor allem junge Menschen werden heute auf die Frage:
Was verändert oder beeinflußt den Menschen? nicht in erster
Linie eine Antwort suchen im Horizont einer evolutionistisch
oder sinnleer gedachten Natur, schon gar nicht im Horizont
des jüdisch-christlichen Schöpfergottes, sondern sie werden,
überzeugt von der Entwicklung von Wissenschaft und Technik, antworten: Der Mensch ist das, "was der Mensch aus dem
Menschen machen kann" (Skinner). Die Faszination von Verhaltenstechnologie und Computerwissenschaften, auf die ich
im dritten Abschnitt eingehen werde, sind ein Zeichen dafür.
Gerade weil diese Vorstellungen von der totalen Machbarkeit
des Menschen zunehmen, die auf einem verkürzten Rationalitätsbegriff gründen, ist es wichtig zu sehen, was es bedeuten
kann, daß der Mensch Kulturwesen ist.

Immanuel Kant, Anthropologie in pragmatischer Hinsicht (1798)[73]

Es bleibt uns also, um dem Menschen im System der lebenden Natur
seine Klasse anzuweisen und so ihn zu charakterisieren, nichts übrig,
als: daß er einen Charakter hat, den er sich selbst schafft; indem er
vermögend ist, sich nach seinen von ihm selbst genommenen Zwek-
ken zu perfektionieren; wodurch er, als mit *Vernunftfähigkeit* begab-
tes Tier (animal rationabile), aus sich selbst ein *vernünftiges* Tier
(animal rationale) machen kann; - wo er dann: erstlich sich selbst
und seine Art *erhält*, zweitens sie übt, belehrt und für die häusliche
Gesellschaft *erzieht*, drittens sie als in ein systematisches (nach Ver-
nunftprinzipien geordnetes) für die Gesellschaft gehöriges Ganze,
regiert; wobei aber das Charakteristische der Menschengattung, in
Vergleichung mit der Idee möglicher vernünftiger Wesen auf Erden
überhaupt, dieses ist: Daß die Natur den Keim der *Zwietracht* in sie
gelegt und gewollt hat, daß ihre eigene Vernunft aus dieser diejenige

---

[73] Zwei zentrale längere Zitate sind im Ersten Teil schon abgedruckt.
Sie werden hier noch einmal wiederholt, weil sie dann im Textzu-
sammenhang erscheinen.

Eintracht, wenigstens die beständige Annäherung zu derselben, herausbringe, welche letztere zwar in der *Idee* der *Zweck*, der *Tat* nach aber die erstere (die Zwietracht) in dem Plane der Natur das *Mittel* einer höchsten uns unerforschlichen Weisheit ist: die Perfektionierung des Menschen durch fortschreitende Kultur, wenn gleich mit mancher Aufopferung der Lebensfreuden desselben zu bewirken.

Unter den lebenden *Erdbewohnern* ist der Mensch durch seine *technische* (mit Bewußtsein verbunden-mechanische) zu Handhabung der Sachen, durch seine *pragmatische* (andere Menschen zu seinen Absichten geschickt zu brauchen) und durch die *moralische* Anlage in seinem Wesen (nach dem Freiheitsprinzip unter Gesetzen gegen sich und andere zu handeln) von allen übrigen Naturwesen kenntlich unterschieden, und eine jede dieser drei Stufen kann für sich allein schon den Menschen zum Unterschiede von anderen Erdbewohnern charakteristisch unterscheiden.(160-161)

Die *Summe* der pragmatischen Anthropologie in Ansehung der Bestimmung des Menschen und die Charakteristik seiner Ausbildung ist folgende. Der Mensch ist durch seine Vernunft bestimmt, in einer Gesellschaft mit Menschen zu sein, und in ihr sich durch Kunst und Wissenschaften zu *kultivieren*, zu *zivilisieren* und zu *moralisieren*; wie groß auch sein tierischer Hang sein mag, sich den Anreizen der Gemächlichkeit und des Wohllebens, die er Glückseligkeit nennt, *passiv* zu überlassen, sondern vielmehr *tätig*, im Kampf mit den Hindernissen, die ihm von der Rohigkeit seiner Natur anhängen, sich der Menschheit würdig zu machen.

Der Mensch muß also zum Guten *erzogen* werden; der aber, welcher ihn erziehen soll, ist wieder ein Mensch, der noch in der Rohigkeit der Natur liegt, und nun doch dasjenige bewirken soll, was er selbst bedarf. Daher die beständige Abweichung von seiner Bestimmung, mit immer wiederholten Einlenkungen zu derselben. (164)

Übrigens soll und *kann* die Menschengattung selbst Schöpferin ihres Glücks sein; nur daß sie es sein *wird*, läßt sich nicht a priori[74], aus den uns von ihr bekannten Naturanlagen, sondern nur aus der Erfah-

---

[74] a priori - ohne alle Erfahrung; a posteriori - aus der Erfahrung.

rung und Geschichte, mit so weit gegründeter Erwartung schließen, als nötig ist, an diesem ihren Fortschreiten zum Besseren nicht zu verzweifeln, sondern, mit aller Klugheit und moralischer Vorleuchtung, die Annäherung zu diesem Ziele (ein jeder, so viel an ihm ist) zu befördern.

Man kann also sagen: der erste Charakter der Menschengattung ist: das Vermögen, als vernünftigen Wesens, sich, für seine Person so wohl als für die Gesellschaft, worin ihn die Natur versetzt, einen Charakter überhaupt zu verschaffen; welches aber schon eine günstige Naturanlage und einen Hang zum Guten in ihm voraussetzt; weil das Böse (da es Widerstreit mit sich selbst bei sich führt und kein bleibendes Prinzip in sich selbst verstattet) eigentlich ohne Charakter ist.

Der Charakter eines lebenden Wesens ist das, woraus sich seine Bestimmung zum voraus erkennen läßt. - Man kann es aber für die Zwecke der Natur als Grundsatz annehmen: sie wolle, daß jedes Geschöpf seine Bestimmung erreiche; dadurch, daß alle Anlagen seiner Natur sich zweckmäßig für dasselbe entwickeln, damit, wenn gleich nicht jedes *Individuum*, doch die Spezies die Absicht derselben erfülle. - Bei vernunftlosen Tieren geschieht dieses wirklich und ist Weisheit der Natur; beim Menschen aber erreicht es nur die Gattung, wovon wir unter vernünftigen Wesen auf Erden nur Eine, nämlich die Menschengattung, kennen, und in dieser auch nur eine Tendenz der Natur zu diesem Zwecke: nämlich durch ihre eigene Tätigkeit die Entwickelung des Guten aus dem Bösen dereinst zustande zu bringen: ein Prospekt [Aussicht], der, wenn nicht Naturrevolutionen ihn auf einmal abschneiden, mit moralischer (zur Pflicht der Hinwirkung zu jenem Zweck hinreichender) *Gewißheit* erwartet werden kann. - Denn es sind Menschen, d.i. zwar bösgeartete, aber doch mit erfindungsreicher, dabei auch zugleich mit einer moralischen Anlage begabte vernünftige Wesen; welche die Übel, die sie sich unter einander selbstsüchtig antun, bei Zunahme der Kultur nur immer desto stärker fühlen und, indem sie kein anderes Mittel dagegen vor sich sehen, als den Privatsinn (einzelner) dem Gemeinsinn (aller vereinigt), obzwar ungern, einer Disziplin (des bürgerlichen Zwanges) zu unterwerfen, der sie sich aber nur nach von ihnen selbst gegebenen Gesetzen unterwerfen, durch dies Bewußtsein sich veredelt fühlen, nämlich zu einer Gattung zu gehören, die der Bestimmung des Menschen, so wie die Vernunft sie ihm im Ideal vorstellt, angemessen ist. (168-169)

Mindestens zwei heute gängige Vorstellungen vom Menschen im Horizont Kultur könnten durch diesen Kant-Text korrigiert werden:
- Kants Aussage, der Mensch sei wesentlich dadurch bestimmt, daß er sich seinen Charakter selbst schaffen müsse, finden sicher bei vielen Zustimmung. Kant teilt jedoch nicht die Vorstellung von der totalen Machbarkeit des Menschen.
- Kant sieht, wenn er die "Erfahrung der Geschichte" heranzieht, alle Schwierigkeiten, alle Möglichkeiten, daß die Menschen wieder in den Zustand der Rohigkeit, d.h. Unkultiviertheit, zurückfallen können, aber er "verzweifelt" nicht an der Möglichkeit des "Fortschreitens zum Besseren", wenn nur die Menschen mit Klugheit dieses Ziel "befördern".

Kants Vorstellungen vom Menschen als einem vernünftigen Wesen liegt nicht der Begriff einer reduzierten Rationalität der modernen Naturwissenschaften und Technik zugrunde. Seinem weiteren Vernunftbegriff entsprechen die Aufgabe des Menschen, sich nicht nur zu zivilisieren und zu kultivieren, sondern - vor allem - sich zu moralisieren. Kant ist, wie später Freud, gegen die Entgegensetzung von Kultur und Zivilisation.

Das "Verzweifeln" an der Zukunft unserer Kultur ist heute sicher noch berechtigter als vor 200 Jahren. Der Ausgang der modernen Kultur zeigt eher ein Abnehmen von Zivilisation, Kultur und Moral und Schwinden von Vernunft. Eine Besinnung auf das, was der Mensch wirklich selbst bei sich und in Gesellschaft und Politik schaffen kann, könnte ermuntern, sich nicht den Gegebenheiten des privaten und öffentlichen Lebens sowie den "Anreizen der Gemächlichkeit und des Wohllebens, die er Glückseligkeit nennt, passiv zu überlassen, sondern vielmehr tätig, im Kampf mit den Hindernissen" das zu tun, was der Mensch tun kann.

Karl Marx, Philosophisch-ökonomische Manuskripte (1844)

Ein kurzer, zusammenhängender Text läßt sich nicht herstellen. Man merkt den Manuskripten sehr an, daß es sich um einen noch nicht von Marx für die Veröffentlichung redigierten Text handelt. Im folgenden werden daher die zentralen Sätze und Aussagen zusammengestellt zu Marx' Ausgangspunkt, zu den vier Formen der Entfremdung: 1. die Entfremdung "des Arbeiters zum Produkt der Arbeit als fremden und über ihn mächtigen Gegenstand" sowie "zu den Naturgegenständen als einer fremden, ihm feindlich gegenüberstehenden Welt", d.h. "die Entfremdung der Sache"; 2. die Entfremdung des Arbeiters von der produktiven Tätigkeit selbst, d.h. "die Selbstentfremdung"; 3. die Entfremdung von der Gattung; 4. "die Entfremdung des Menschen von dem Menschen" als "unmittelbare Konsequenz davon, daß der Mensch dem Produkt seiner Arbeit, seiner Lebenstätigkeit, seinem Gattungswesen entfremdet ist". Die Aufhebung der vier Formen der Entfremdung kann deutlich werden aus der Textpassage "Gesetzt, wir hätten als Menschen produziert". Außer dieser Form nichtentfremdeter Arbeit und nichtentfremdeten Lebens gibt es Marx auch die Möglichkeiten: Die nichtentfremdete "*Gesellschaft* ist die vollendete Wesenseinheit des Menschen mit der Natur, die wahre Resurrektion [Auferstehung] der Natur, der durchgeführte Naturalismus des Menschen und der durchgeführte Humanismus der Natur" (201). Ein wahrhaft menschliches

Verhältnis zum Mitmenschen und zur Welt setzt nach Marx wechselseitige Liebe und Vertrauen voraus (201).

Die entfremdete Arbeit

Wir haben also jetzt den wesentlichen Zusammenhang zwischen dem Privateigentum, der Habsucht, der Trennung von Arbeit, Kapital und Grundeigentum, von Austausch und Konkurrenz, von Wert und Entwertung der Menschen, von Monopol und Konkurrenz usw., von dieser ganzen Entfremdung mit dem *Geld*system zu begreifen.

Versetzen wir uns nicht, wie der Nationalökonom, wenn er erklären will, in einen nur erdichteten Urzustand. Ein solcher Urzustand erklärt nichts. Er schiebt bloß die Frage in eine graue, nebelhafte Ferne. Er unterstellt in der Form der Tatsache, des Ereignisses, was er deduzieren soll, nämlich das notwendige Verhältnis zwischen zwei Dingen, z.B. zwischen Teilung der Arbeit und Austausch. So erklärt die Theologie den Ursprung des Bösen durch den Sündenfall, d.h., er unterstellt als ein Faktum, in der Form der Geschichte, was er erklären soll.

Wir gehn von einem nationalökonomischen, *gegenwärtigen* Faktum aus. Der Arbeiter wird um so ärmer, je mehr Reichtum er produziert, je mehr seine Produktion an Macht und Umfang zunimmt. Der Arbeiter wird eine um so wohlfeilere Ware, je mehr Waren er schafft. Mit der *Verwertung* der Sachenwelt nimmt die *Entwertung* der Menschenwelt in direktem Verhältnis zu. Die Arbeit produziert nicht nur Waren; sie produziert sich selbst und den Arbeiter als eine *Ware*, und zwar in dem Verhältnis, in welchem sie überhaupt Waren produziert.

Dies Faktum drückt weiter nichts aus als: Der Gegenstand, den die Arbeit produziert, ihr Produkt, tritt ihr als ein *fremdes Wesen*, als eine von dem Produzenten *unabhängige Macht* gegenüber. Das Produkt der Arbeit ist die Arbeit, die sich in einem Gegenstand fixiert, sachlich gemacht hat, es ist die *Vergegenständlichung* der Arbeit. Die Verwirklichung der Arbeit ist ihre Vergegenständlichung. Diese Verwirklichung der Arbeit erscheint in dem nationalökonomischen Zustand als *Entwirklichung* des Arbeiters, die Vergegenständlichung als *Verlust und Knechtschaft des Gegenstandes,* die Aneignung als *Entfremdung, als Entäußerung.* (190-191)

Wir haben bisher die Entfremdung, die Entäußerung des Arbeiters nur nach der einen Seite hin betrachtet, nämlich sein *Verhältnis zu den Produkten seiner Arbeit.* Aber die Entfremdung zeigt sich nicht nur im Resultat, sondern im *Akt der Produktion,* innerhalb der *produzierenden Tätigkeit* selbst. ...

Worin besteht nun die Entäußerung der Arbeit?

Erstens, daß die Arbeit dem Arbeiter *äußerlich* ist, d.h. nicht zu seinem Wesen gehört, daß er sich daher in seiner Arbeit nicht bejaht, sondern verneint, nicht wohl, sondern unglücklich fühlt, keine freie physische und geistige Energie entwickelt, sondern seine Physis abkasteit und seinen Geist ruiniert. Der Arbeiter fühlt sich daher erst außer der Arbeit bei sich und in der Arbeit außer sich. Zu Hause ist er, wenn er nicht arbeitet, und wenn er arbeitet, ist er nicht zu Haus. Seine Arbeit ist daher nicht freiwillig, sondern gezwungen, *Zwangsarbeit.* Sie ist daher nicht die Befriedigung eines Bedürfnisses, sondern sie ist nur ein *Mittel,* um Bedürfnisse außer ihr zu befriedigen. ...

Es kömmt daher zu dem Resultat, daß der Mensch (der Arbeiter) nur mehr in seinen tierischen Funktionen, Essen, Trinken und Zeugen, höchstens noch Wohnung, Schmuck etc., sich als freitätig fühlt und in seinen menschlichen Funktionen nur mehr als Tier. Das Tierische wird das Menschliche und das Menschliche das Tierische.

Essen, Trinken und Zeugen etc. sind zwar auch echt menschliche Funktionen. In der Abstraktion aber, die sie von dem übrigen Umkreis menschlicher Tätigkeit trennt und zu letzten und alleinigen Endzwecken macht, sind sie tierisch.

Wir haben den Akt der Entfremdung der praktischen menschlichen Tätigkeit, die Arbeit nach zwei Seiten hin betrachtet. 1. Das Verhältnis des Arbeiters zum *Produkt der Arbeit* als fremden und über ihn mächtigen Gegenstand. Dies Verhältnis ist zugleich das Verhältnis zur sinnlichen Außenwelt, zu den Naturgegenständen als einer fremden, ihm feindlich gegenüberstehenden Welt. 2. Das Verhältnis der Arbeit zum *Akt der Produktion* innerhalb der *Arbeit.* Dies Verhältnis ist das Verhältnis des Arbeiters zu seiner eigenen Tätigkeit als einer fremden, ihm nicht angehörigen, die Tätigkeit als Leiden, die Kraft als Ohnmacht, die Zeugung als Entmannung, die *eigene* physische und geistige Energie des Arbeiters, sein persönliches Leben - denn was ist Leben anderes als Tätigkeit - als eine wider ihn gewendete, von ihm unabhängige, ihm nicht gehörige Tätigkeit. Die *Selbstentfremdung*, wie oben die Entfremdung der *Sache*.

Wir haben nun noch eine dritte Bestimmung der *entfremdeten Arbeit* aus den beiden bisherigen zu ziehn.(193-194)

Eben in der Bearbeitung der gegenständlichen Welt bewährt sich der Mensch daher wirklich als ein *Gattungswesen*. Diese Produktion ist sein werktätiges Gattungsleben. Durch sie erscheint die Natur als *sein* Werk und seine Wirklichkeit. Der Gegenstand der Arbeit ist daher die *Vergegenständlichung des Gattungslebens des Menschen*: indem er sich nicht nur wie im Bewußtsein intellektuell, sondern werktätig, wirklich verdoppelt und sich selbst daher in einer von ihm geschaffnen Welt anschaut. Indem daher die entfremdete Arbeit dem Menschen den Gegenstand seiner Produktion entreißt, entreißt sie ihm sein *Gattungsleben*, seine wirkliche Gattungsgegenständlichkeit und verwandelt seinen Vorzug vor dem Tier in den Nachteil, daß sein unorganischer Leib, die Natur, ihm entzogen wird.

Ebenso indem die entfremdete Arbeit die Selbständigkeit, die freie Tätigkeit, zum Mittel herabsetzt, macht sie das Gattungsleben des Menschen zum Mittel seiner physischen Existenz.

Das Bewußtsein, welches der Mensch von seiner Gattung hat, verwandelt sich durch die Entfremdung also dahin, daß das Gattungsleben ihm zum Mittel wird.

Die entfremdete Arbeit macht also:

3. das *Gattungswesen des Menschen*, sowohl die Natur als sein geistiges Gattungsvermögen, zu einem ihm *fremden* Wesen, zum *Mittel* seiner *individuellen Existenz*. Sie entfremdet dem Menschen seinen eignen Leib, wie die Natur außer ihm, wie sein geistiges Wesen, sein *menschliches* Wesen.

4. Eine unmittelbare Konsequenz davon, daß der Mensch dem Produkt seiner Arbeit, seiner Lebenstätigkeit, seinem Gattungswesen entfremdet ist, ist die *Entfremdung des Menschen* von dem *Menschen*. Wenn der Mensch sich selbst gegenübersteht, so steht ihm der *andre* Mensch gegenüber. Was von dem Verhältnis des Menschen zu

seiner Arbeit, zum Produkt seiner Arbeit und zu sich selbst, das gilt von dem Verhältnis des Menschen zum andren Menschen, wie zu der Arbeit und dem Gegenstand der Arbeit des andren Menschen.(196)

Exzerpthefte (1844)

Gesetzt, wir hätten als Menschen produziert: Jeder von uns hätte in seiner Produktion sich selbst und den andren *doppelt bejaht*. Ich hätte 1. in meiner *Produktion* meine *Individualität*, ihre *Eigentümlichkeit* vergegenständlicht und daher sowohl während der Tätigkeit eine individuelle *Lebensäußerung* genossen, als im Anschauen des Gegenstandes die individuelle Freude, meine Persönlichkeit als *gegenständliche, sinnlich anschaubare* und darum *über allen Zweifel erhabene* Macht zu wissen. 2. In deinem Genuß oder deinem Gebrauch meines Produkts hätte ich *unmittelbar* den Genuß, sowohl des Bewußtseins, in meiner Arbeit ein *menschliches* Bedürfnis befriedigt, also das *menschliche* Wesen vergegenständlicht und daher dem Bedürfnis eines andren *menschlichen* Wesens seinen entsprechenden Gegenstand verschafft zu haben, 3.für dich der *Mittler* zwischen dir und der Gattung gewesen zu sein, also von dir selbst als eine Ergänzung deines eignen Wesens und als ein notwendiger Teil deiner selbst gewußt und empfunden zu werden, also sowohl in deinem Denken wie in deiner Liebe mich bestätigt zu wissen, 4. in meiner individuellen Lebensäußerung unmittelbar deine Lebensäußerung geschaffen zu haben, also in meiner individuellen Tätigkeit unmittelbar mein wahres Wesen, mein *menschliches,* mein *Gemeinwesen bestätigt* und *verwirklicht* zu haben.

Unsere Produktionen wären ebenso viele Spiegel, woraus unser Wesen sich entgegenleuchtete.

Dies Verhältnis wird dabei wechselseitig, von deiner Seite geschehe, was von meiner geschieht.

Betrachten wir die verschiedenen Momente, wie sie in der Unterstellung erscheinen.

Meine Arbeit wäre *freie Lebensäußerung*, daher *Genuß des Lebens*. Unter der Voraussetzung des Privateigentums ist sie *Lebensentäußerung*, denn ich arbeite, *um zu leben*, um mir ein *Mittel* des Lebens zu verschaffen. Mein Arbeiten *ist nicht* Leben.

Zweitens: In der Arbeit wäre daher die *Eigentümlichkeit* meiner Individualität, weil mein *individuelles* Leben bejaht. Die Arbeit wäre also *wahres, tätiges Eigentum.* Unter der Voraussetzung des Privateigentums ist meine Individualität bis zu dem Punkte entäußert, daß diese *Tätigkeit* mir *verhaßt,* eine *Qual* und vielmehr nur der *Schein* einer Tätigkeit, darum auch eine nur *erzwungene* Tätigkeit und nur durch eine *äußerliche* zufällige Not, *nicht* durch eine *innere notwendige* Not mir auferlegt ist.

Nur als das, was meine Arbeit ist, kann sie in meinem Gegenstand erscheinen. Sie kann nicht als das erscheinen, was sie dem Wesen nach *nicht* ist. Daher erscheint sie nur noch als der gegenständliche, sinnliche, angeschaute und darum über allen Zweifel erhabene Ausdruck meines *Selbstverlustes* und meiner *Ohnmacht.*(201-202)

Die Deutung des Menschen durch den jungen Marx ist nicht durch das Ende des Marxismus als staatstragender Ideologie in den sog. sozialistischen Staaten bedeutungslos geworden. Selbst wenn wir in den entwickelten Industriegesellschaften der westlichen Welt nicht mehr wie Marx von unterdrückenden und unterdrückten Klassen, von Kapitalisten und Proletariern sprechen können, selbst wenn sich die sozialen und wirtschaftlichen Verhältnisse für die Arbeiter entscheidend verbessert haben, selbst wenn der größte Teil der arbeitenden Menschen in der westlichen Welt heute nicht mehr die Arbeit und die Arbeitsbedingungen ertragen müssen, wie sie Marx vor Augen standen, selbst wenn Marx' Vorstellungen von nichtentfremdeter Arbeit ein utopisches Bild quasi künstlerischer Tätigkeit für alle Menschen impliziert:

Es ist auch heute wichtig, die Bedeutung der Arbeit und der wirtschaftlichen Zwänge und Abhängigkeiten zu bedenken bei der Frage, was der Mensch ist und sein kann. Dies wird bei machen Deutungen des Menschen - auch manchen modernen Anthropologien - zu sehr übersehen. Ein Problem, das Marx damals bei seiner Utopie einer klassenlosen Gesellschaft nicht entfremdeter Menschen nicht ahnen konnte, ist dies: Das moderne national und international arbeitende und von einander abhängige Wirtschaftssystem erzeugt nicht nur Arbeit und Arbeitsbedingungen, die Menschen als entfremdete erleben, es erzeugt auch Arbeitsbedingungen, die Menschen arbeitslos machen.

Was Entfremdung der Arbeit und Aufhebung der Entfremdung heute bedeuten, kann man sich veranschaulichen an einem Beispiel. Man kann versuchen, sich die verschiedenen Formen der Entfremdung und deren Aufhebung klarzumachen etwa an einem Arbeiter in einer Schuhfabrik und einem Schuster, der den ganzen Schuh in seiner Werkstatt herstellt, besser noch an einem Arbeiter in einer Textilfabrik und einem Modeschöpfer.

Arnold Gehlen, "Mängelwesen und Prometheus"

Man hat schon lange bemerkt, daß der Mensch, morphologisch angesehen, sozusagen einen Ausnahmefall darstellt. ...Sieht man nun den Menschen theoretisch unbefangen an, so bemerkt man einige Merkmale, die zunächst einmal nur aufgezählt seien....

1. Er ist 'organisch mittellos', ohne natürliche Waffen, ohne Angriffs- oder Schutz- oder Fluchtorgane, mit Sinnen von nicht besonders be-

deutender Leistungsfähigkeit, denn jeder unserer Sinne wird von den 'Spezialisten' im Tierreich weit übertroffen. ... Die Gesamtheit dieser Merkmale faßt man unter dem Begriff der 'Unspezialisiertheit' zusammen, und daher stammt die Berechtigung, den Menschen in einen beschreibenden und vergleichenden Gegensatz zum Tier zu bringen, vor allem zu seinen nächsten Verwandten, den ja sehr hoch spezialisierten Großaffen....

2. Wir sehen weiter, wo wir auch hinblicken, den Menschen über die Erde verbreitet und trotz seiner physischen Mittellosigkeit sich zunehmend die Natur unterwerfen. Es ist dabei keine 'Umwelt', kein Inbegriff natürlicher und urwüchsiger Bedingungen angebbar, der erfüllt sein muß, damit 'der Mensch' leben kann, sondern wir sehen ihn überall, unter Pol und Äquator, auf dem Wasser und auf dem Lande, in Wald, Sumpf, Gebirge und Steppe 'sich halten'. Und zwar lebt er als 'Kulturwesen', d.h. von den Resultaten seiner *voraussehenden*, geplanten und gemeinsamen Tätigkeit, die ihm erlaubt, aus sehr beliebigen Konstellationen von Naturbedingungen durch deren voraussehende und tätige Veränderung sich Techniken und Mittel seiner Existenz zurechtzumachen. Man kann daher die 'Kultursphäre' jeweils den Inbegriff tätig *veränderter* urwüchsiger Bedingungen nennen, innerhalb deren der Mensch allein lebt und leben kann. Irgendwelche Waffen, Organisationsformen gemeinsamer Tätigkeit und Schutzmaßnahmen vor Feinden, vor der Witterung usw. gehören daher zu den Beständen auch der primitivsten Kultur, und 'Naturmenschen', d.h. kulturlose gibt es überhaupt nicht.

Man muß die Resultate dieser geplanten, verändernden Tätigkeit einschließlich der dazugehörigen Sachmittel, Denk- und Vorstellungsmittel zu den *physischen* Existenzbedingungen des Menschen rechnen, und diese Aussage gilt für kein Tier. Die Bauten der Biber, die Vogelnester usw. sind niemals voraussehend geplant und gehen aus rein instinktiven Betätigungen hervor. Den Menschen als *Prometheus* zu bezeichnen, hat daher einen exakten und guten Sinn.

Der Mensch ist also organisch 'Mängelwesen' (*Herder*), er wäre in jeder natürlichen Umwelt lebensunfähig, und so muß er sich eine *zweite Natur*, eine künstlich bearbeitete und passend gemachte Ersatzwelt, die seiner versagenden organischen Ausstattung entgegenkommt, erst schaffen, und er tut dies überall, wo wir ihn sehen. Er lebt sozusagen in einer künstlich entgifteten, handlich gemachten und von ihm ins Lebensdienliche veränderten Natur, die eben die Kultursphäre ist. Man kann auch sagen, daß er biologisch zur Naturbeherrschung gezwungen ist. (Aus: Ein Bild vom Menschen [1942], 227-230)

Die Entlastungsfunktion der Institutionen. - Um den Zusammenhang zwischen dieser Unbestimmtheit und Unvoraussagbarkeit des menschlichen Verhaltens, von den Antrieben her gesehen, und den Institutionen klarzumachen, zitiere ich am besten die kurze Formel von *Ilse Schwidetzki*[75] in dem Fischer-Lexikon 'Anthropologie': "Die Instinkte bestimmen beim Menschen nicht, wie beim Tier, einzelne festgelegte Verhaltensabläufe. Statt dessen nimmt jede Kultur aus der Vielheit der möglichen menschlichen Verhaltensweisen bestimmte Varianten heraus und erhebt sie zu gesellschaftlich sanktionierten *Verhaltensmustern*, die für alle Glieder der Gruppe verbindlich sind. Solche kulturellen Verhaltensmuster oder *Institutionen* bedeuten für das Individuum eine *Entlastung* von allzu vielen Entscheidungen, einen Wegweiser durch die Fülle von Eindrücken und Reizen, von denen der weltoffene Mensch überflutet wird."...

Der Einzelne erlebt nun in der Tat eine Institution wie das Eigentum oder die Ehe als ein überpersönliches vorgefundenes Muster, dem er sich einordnet; oder in anderen Fällen tritt er in eine Institution seines Berufes, eine Behörde, eine Fabrik ein in dem Bewußtsein, daß sie als dieselbe seit langem bestand und bestehen wird, im Wechsel der Menschen, die in sie ein- oder wieder austreten. Diese Thematik führt in sehr interessante und schwierige Überlegungen, wenn man sich im einzelnen klarmachen will, wie eigentlich die Handlungen der Menschen zu so etwas wie einer Eigennorm umschlagen und sich nun wie eine objektive Ordnung über ihnen verfestigen, die der Einzelne als ein Geltendes vorfindet.

Um mit wenigen Worten zusammenzufassen: Die Formen, in denen die Menschen miteinander leben oder arbeiten, in denen sich die Herrschaft ausgestaltet oder der Kontakt mit dem Übersinnlichen - sie alle gerinnen zu Gestalten eigenen Gewichts, den *Institutionen*,

---

[75] (geb. 1907), Anthropologin.

die schließlich den Individuen gegenüber etwas wie eine Selbstmacht gewinnen, so daß man das Verhalten des Einzelnen in der Regel ziemlich sicher voraussagen kann, wenn man seine Stellung in dem System der Gesellschaft kennt, wenn man weiß, von welchen Institutionen er eingefaßt ist. Die Forderungen des Berufes und der Familie, des Staates oder irgendwelcher Verbände, denen man angehört, regeln uns nicht nur in unserem Verhalten ein, sie greifen bis in unsere Wertgefühle und Willensentschlüsse durch, und diese verlaufen dann ohne Bremsung und Zweifel wie von selbst, d.h. selbstverständlich, ohne daß eine andere Möglichkeit vorstellbar wäre, also schließlich mit der Überzeugungskraft des Natürlichen. Vom Inneren der Einzelperson her gesehen bedeutet das die *'bienfaisante certitude'*, die wohltätige Fraglosigkeit oder Sicherheit, eine lebenswichtige Entlastung, weil auf diesem Unterbau innerer und äußerer Gewohnheiten die geistigen Energien sozusagen nach oben abgegeben werden können; sie werden für eigentlich *persönliche*, einmalige und neu zu erfindende Dispositionen frei. Man kann anthropologisch den Begriff der *Persönlichkeit* nur im engsten Zusammenhang mit dem der Institutionen denken, die letzteren geben der Personqualität in einem anspruchsvolleren Sinne überhaupt erst die Entwicklungschance....

Jetzt gehen wir einen Schritt weiter und stellen die Frage, was eigentlich vor sich geht, wenn Institutionen gesprengt oder erschüttert werden. Das geschieht jedesmal bei geschichtlichen Katastrophen, bei Revolutionen oder Zusammenbrüchen von Staatsgebilden oder Gesellschaftsordnungen oder ganzen Kulturen, auch bei gewaltsamer Intervention aggresiver Kulturen in friedlichere. Der unmittelbare Effekt besteht in einer *Verunsicherung* der betroffenen Personen, und zwar bis in die Tiefe hinein: Die Desorientierung ergreift die moralischen und geistigen Zentren, weil auch dort die Gewißheit des Selbstverständlichen gestrandet ist....

Man hat seit vielen Jahrzehnten überreiche Gelegenheit, solche Erfahrungen an sich selbst und in Großexperimenten zu machen. Ich habe wie alle Menschen meines Alters zwei Weltkriege, drei Revolutionen und vier Staatsformen erlebt, und nimmt man zu diesen Erfahrungen die Kunst und Literatur der Zeit hinzu, dann kennt man alle Möglichkeiten affektiver Entformung: Von der Verhärtung bis zur Überanpassung und Gleichgewichtslosigkeit, vom Haß bis zum Hohn, vom Unglauben bis zur Glaubensgläubigkeit. Man begreift auch die Notwendigkeit und sogar Anständigkeit dieses allgemeinen Zurückschwingens auf das Naheliegende, Reelle und unmittelbar Darstellbare, wie es sich jetzt in der Jugend zeigt, als eine ehrliche Reaktion. (Aus: Mensch und Institutionen [1960], 233-236)

Gehlen knüpft an Herders Begriff vom Menschen als "Mängelwesen" an. In seiner **"Gesamttheorie vom Menschen"** nimmt er die Schilderung des Prometheusmythos auf und sagt: der Mensch ist "Mängelwesen und Prometheus". D.h. nicht Prometheus und die Götter geben den Menschen die Möglichkeit des Überlebens und guten Lebens.

> Der Mensch selbst als "Mängelwesen **und** Prometheus" ist wegen seiner schwachen physischen ersten Natur um des Überlebens willen gezwungen, sich eine künstliche zweite Natur zu schaffen.

Der Mensch als handelndes Wesen besitzt jedoch einen "Überschuß" an Antriebsenergie, der "weit über das Quantum an Energie hinaus(geht), das zur bloßen Fristung des Lebens notwendig wäre". Es entsteht "Disziplinierungszwang" durch "die gebieterische Gewalt der Zuchtformen, der Sitten, Moralen und Strafen, der Herrschafts- und Führungsordnungen (230-231).

Zugleich bedeuten solche **"kulturellen Verhaltensmuster oder *Institutionen*"** "für das Individuum eine *Entlastung* von allzu vielen Entscheidungen", eine "*bienfaisante certitude*, die wohltätige Fraglosigkeit oder Sicherheit, eine lebenswichtige Entlastung".

Die "objektiven Ordnungen" findet "der Einzelne als ein Geltendes" vor. Diese Institutionen haben nicht wie die staatliche Ordnung im Prometheusmythos das gute Leben der Bürger in einer Gemeinschaft zum Ziel, sie "verwalten" auch nicht wie bei Kant die Rechte des einzelnen Subjekts, die der "Probierstein der Rechtmäßigkeit eines jeden öffentlichen Gesetzes" sind; sie bilden eine **"Selbstmacht" gegenüber dem Subjekt.** "Wer nicht innerhalb seiner Umstände, sondern unter allen Umständen Persönlichkeit sein will, kann nur scheitern." Wenn Institutionen zerbrechen, treten "Desorientierung" bis in die "moralischen und geistigen Zentren", "Primitivisierung" (235) und eine "Übersteigerung der Subjektivität" (237) ein. Jedem Anspruch des Subjekts gegenüber den Institutionen gilt Gehlens scharfe Kritik: "Wer so 'mit Haut und Haaren' in seinen Status hineingeht, hat keine andere Wahl, als sich von den geltenden Institutionen konsumieren zu lassen, er findet außerhalb ihrer überhaupt keinen Punkt, wo er hintreten könnte. Diese Würde ist es, die unserer Zeit so weitgehend fehlt, wo die 'Subjekte' in dauernder Revolte gegen das Institutionelle sind."[76]

Gehlen sieht zu Recht die Notwendigkeit der Institutionen für das Zusammenleben der Menschen. Um jedoch zu verstehen,

---

[76] Zit. nach J. Taubes, in: H. Schelsky (Hrsg.), Zur Theorie der Institution, Düsseldorf ²1973, 73.

welche Konsequenzen ein solcher funktionaler allgemeiner Institutionenbegriff hat, braucht man nicht nur an Gehlens eigene Verstrickung in den Nationalsozialismus zu erinnern. Traditionalismus, Faschismus und Fundamentalismus können sich legitimerweise auf Gehlen berufen. Nicht das Subjekt und sein Handeln nach seinem Gewissen ist ein "Heiligtum, das anzutasten Frevel wäre" (Hegel), sondern religiöse, politische, rechtliche und andere Institutionen sind hier für den Einzelnen Gewissen. Höchstens in der Kunst kann sich der Einzelne (Intellektuelle) Entlastung vom Druck der Institutionen verschaffen.

Während bei Kant die Bedeutung von Vernunft und Geschichte für die Bestimmung des Menschen im Mittelpunkt steht, beim jungen Marx die der Arbeit und der wirtschaftlichen Verhältnisse, wird bei Gehlen das Augenmerk auf die Wichtigkeit und Notwendigkeit der Institutionen gelenkt.

Von vielen, vor allem jungen Menschen, werden heute Institutionen überhaupt abgelehnt. Sie sehen auch nicht ein, daß man sich in Institutionen engagiert, um diese zu verbessern. Sie wollen "unter allen Umständen Persönlichkeit sein". Welche Unsicherheit für den Einzelnen das Zusammenbrechen von bisher fraglos geltenden Institutionen hervorruft, erfahren wir heute, nicht nur durch die täglichen Berichte aus dem ehemaligen Jugoslawien und anderen Krisengebieten, sondern vor allem in Ostdeutschland nach dem Ende der DDR und der Geltung neuer politischer und wirtschaftlicher Ordnungen. Positivität und Notwendigkeit von Institutionen, aber auch die Grenze einer funktionaler Institutionentheorie, in der die Institutionen nicht durch Menschen- und Grundrechte, durch sittliche und rechtliche Voraussetzungen des modernen Rechts- und Verfassungsstaates kontrolliert werden, sondern allein die Funktion der Entlastung und Stabilisierung erfüllen, können Gehlens Deutung des Menschen und der Institutionen deutlich werden.

Antwortversuche im Horizont Gott

- "Der Mensch ist weder Engel noch Tier" - "Wird er Gott oder den Tieren gleich sein?" (Pascal) (118-125, vor allem 118-122)
- Für den Menschen als Geschöpf Gottes "ist es ein Grundsatz: daß ein jeder, so viel, als in seinen Kräften ist, tun müsse, um ein besserer Mensch zu werden." (Kant) (173-178)

Blaise Pascal, Pensées (1658-1662)

Ich habe lange Zeit dem Studium der reinen Wissenschaften gewidmet, sie wurden mir aber verleidet, weil man zu wenig Austausch mit anderen darüber haben kann. Nachdem ich das Studium der Menschen begonnen hatte, erkannte ich, daß die reinen Wissenschaften dem Menschen nicht angemessen sind und daß ich mich über meine Seinslage, während ich sie studierte, mehr irrte als die, die von ihnen nichts wissen. (118)

Der Mensch ist offenbar zum Denken geschaffen, das ist seine ganze Würde und sein ganzes Verdienst; und es ist seine ganze Pflicht, richtig zu denken. Nun, die Ordnung des Denkens fordert, daß man mit sich selbst beginne, und zwar mit seinem Schöpfer und mit seinem Ende.

Nun, woran denken die Menschen? Daran nie, sondern an Tanzen, Laute spielen, Singen, Dichten, Ringe stechen usw. und daran, sich zu schlagen, sich zum König zu machen, ohne nachzudenken, was es ist, König zu sein, und was es ist, Mensch zu sein. (118-119)

Der Mensch ist weder Engel noch Tier, und das Unglück will, daß, wer den Engel will, das Tier macht.

Die einen sagen: schaut auf zu Gott, seht, wem ihr gleicht und wer euch schuf, damit ihr ihn anbetet! Ihm könnt ihr ähnlich werden, die Weisheit wird euch ihm angleichen, wenn ihr ihr folgen wollt. "Kopf hoch, freie Menschen", sagt Epiktet[77]. Und die andern lehren ihn: Schlagt die Augen nieder zur Erde, kümmerliches Gewürm, das ihr seid, schaut die Tiere, die eure Genossen sind!
Was also wird der Mensch werden? wird er Gott oder den Tieren gleich sein? Welch entsetzlicher Abstand! Was also werden wir sein? Wer erkennt nicht aus alledem, daß der Mensch verirrt, daß er aus seinem Ort gefallen ist, daß er ihn ruhelos sucht und daß er ihn nicht wiederfinden kann? Wer aber wird ihn dahin weisen? Die größten Menschen haben es nicht vermocht.

Nur ein Schilfrohr, das zerbrechlichste in der Welt, ist der Mensch, aber ein Schilfrohr, das denkt. Nicht ist es nötig, daß sich das All wappne, um ihn zu vernichten: ein Windhauch, ein Wassertropfen reichen hin, um ihn zu töten. Aber, wenn das All ihn vernichten würde, so wäre der Mensch doch edler als das, was ihn zerstört, denn er weiß, daß er stirbt, und er kennt die Übermacht des Weltalls über ihn; das Weltall aber weiß nichts davon.
Unsere ganze Würde besteht also im Denken, an ihm müssen wir uns aufrichten und nicht am Raum und an der Zeit, die wir doch nie ausschöpfen werden. Bemühen wir uns also, richtig zu denken, das ist die Grundlage der Sittlichkeit. (119)

Zwei Übertreibungen: Ausschluß der Vernunft. - Nur die Vernunft gelten lassen.

---

[77] Stoischer Philosoph (um 60-140); schrieb ein sehr populäres 'Handbüchlein der Moral'.

Das Herz hat seine Ordnung; der Geist hat die seine, die besteht in Grundsätzen und Beweisen.

Das Herz hat eine andere. Man beweist nicht, daß man uns lieben solle, durch geordnete Darlegung der Ursachen der Liebe, das würde lächerlich sein.(120)

Größe, Elend. Je mehr Einsicht ein Mensch hat, um so klarer sieht er Größe und Elend im Menschen." (121)

Ich schaue diese grauenvollen Räume des Universums, die mich einschließen, und ich finde mich an eine Ecke dieses weiten Weltenraumes gefesselt, ohne daß ich wüßte, weshalb ich nun hier und nicht etwa dort bin, noch weshalb ich die wenige Zeit, die mir zum Leben gegeben ist, jetzt erhielt und an keinem andern Zeitpunkt der Ewigkeit, die vor mir war oder die nach mir sein wird. Ringsum sehe ich nichts als Unendlichkeiten, die mich wie ein Atom, wie einen Schatten umschließen, der nur einen Augenblick dauert ohne Wiederkehr. Alles, was ich weiß, ist, daß ich bald sterben werde, aber was der Tod selbst ist, den zu vermeiden ich nicht wissen werde, das weiß ich am wenigsten.

Wie ich nicht weiß, woher ich komme, weiß ich auch nicht, wohin ich gehe; und nur das weiß ich, daß, wenn ich diese Welt verlasse, ich entweder für ewig in das Nichts oder in die Hände eines erzürnten Gottes fallen werde, ohne daß ich wüßte, welche dieser beiden Lagen auf immer mein Teil sein soll. Das also ist meine Seinslage, voll von Schwäche und Ungewißheit.(122)

Die inhaltlichen Zusammenhänge sind im Ersten Teil ausführlich erläutert. Schwierig ist bei der Lektüre Pascals, daß aufgrund der Textlage - die 'Pensées', das wichtigste philosophische Werk Pascals, sind Fragemente seiner nicht vollendeten 'Apologie der christlichen Religion' - die Deutung des Menschen nicht in einem fortschreitenden Argumentationsgang entwickelt wird. Darum ist es nicht sinnvoll, aus den zum Teil sehr kurzen Fragmenten einen Argumentationsgang herausarbeiten zu wollen. Auch die Anordnung der Fragmente ist bei verschiedenen Herausgebern verschieden; sie ist auch hier für die Erörterung der Frage, was der Mensch ist, in einer bestimmten Weise erfolgt. Die thematischen Schwerpunkte müssen bei der Lektüre herausgefunden werden; sie können nicht abgelesen werden.

Vielleicht wird das Vorurteil, Pascal sei nur ein heute unzeitgemäßer 'frommer' Denker, beseitigt, wenn man sich klar macht, daß er auch ein bedeutender Mathematiker und Erfinder (z.B. der Rechenmaschine) war. Iring Fetscher würdigte ihn einmal so: "Blaise Pascal gehört zu den faszinierendsten Gestalten der Philosophiegeschichte. Ein religiöser Denker, der nicht nur kein Theologe ist, sondern sogar gerade durch seine beißende Kritik an den zeitgenössischen jesuitischen Moraltheologen bekannt wird, ein Mathematiker und Physiker von hohem Rang, ein Anwalt der Vernunft, der zugleich die Grenzen der menschlichen Vernunft, die "Erbärmlichkeit des Menschen" erfahren hat und daraus seine Angewiesenheit auf göttliche Gnade ableitet." (Die Zeit Nr.42, 12.10.1979)

Immanuel Kant, Die Religion innerhalb der Grenzen der bloßen Vernunft (1793)

Von der Einwohnung des bösen Prinzips neben dem guten: oder über das radikale Böse[78] in der menschlichen Natur

Wenn wir also sagen: der Mensch ist von Natur gut, oder, er ist von Natur böse: so bedeutet dieses nur so viel, als: er enthält einen (für uns unerforschlichen) ersten Grund der Annehmung guter, oder der Annehmung böser (gesetzwidriger) Maximen[79]; und zwar allgemein als Mensch, mithin so, daß er durch dieselbe zugleich den Charakter seiner Gattung ausdrückt.

---

[78] Radikal (von der Wurzel her) böse; vgl. Anm.29.

[79] Kants Definition des "subjektiven praktischen Grundsatzes" oder "Maxime" s. Anm.30.

Wir werden also von einem dieser Charaktere (der Unterscheidung des Menschen von andern möglichen vernünftigen Wesen) sagen: er ist ihm *angeboren*; und doch dabei uns immer bescheiden, daß nicht die Natur die Schuld desselben (wenn er böse ist), oder das Verdienst (wenn er gut ist) trage, sondern daß der Mensch selbst Urheber desselben sei. Weil aber der erste Grund der Annehmung unsrer Maximen, der selbst immer wiederum in der Willkür [Handeln aus freiem Willen] liegen muß, kein Faktum sein kann, das in der Erfahrung gegeben werden könnte: so heißt das Gute oder Böse im Menschen (als der subjektive erste Grund der Annehmung dieser oder jener Maxime, in Ansehung des moralischen Gesetzes) bloß in *dem* Sinne angeboren, als es vor allem in der Erfahrung gegebenen Gebrauche der Freiheit (in der frühesten Jugend bis zur Geburt zurück) zum Grunde gelegt wird, und so, als mit der Geburt zugleich im Menschen vorhanden, vorgestellt wird: nicht daß die Geburt eben die Ursache davon sei. (175-176)

Wenn der Mensch aber im Grunde seiner Maximen verderbt ist, wie ist es möglich, daß er durch eigene Kräfte diese Revolution zustande bringe, und von selbst ein guter Mensch werde? Und doch gebietet die Pflicht, es zu sein, sie gebietet uns aber nichts, als was uns tunlich ist. Dieses ist nicht anders zu vereinigen, als daß die Revolution für die Denkungsart, die allmähliche Reform aber für die Sinnesart (welche jener Hindernisse entgegenstellt), notwendig, und daher auch dem Menschen möglich sein muß. Das ist: wenn er den obersten Grund seiner Maximen, wodurch er ein böser Mensch war, durch eine einzige unwandelbare Entschließung umkehrt (und hiemit einen neuen Menschen anzieht): so ist er so fern, dem Prinzip und der Denkungsart nach, ein fürs Gute empfängliches Subjekt; aber nur in kontinuierlichem Wirken und Werden ein guter Mensch: d.i. er kann hoffen, daß er bei einer solchen Reinigkeit des Prinzips, welches er sich zur obersten Maxime seiner Willkür [seines freien Willens] genommen hat, und der Festigkeit desselben, sich auf dem guten (obwohl schmalen) Wege eines beständigen *Fortschreitens* vom Schlechten zum Bessern befinde. Dies ist für denjenigen, der den intelligibelen[80] Grund des Herzens (aller Maximen der Willkür) durchschauet, für den also diese Unendlichkeit des Fortschritts Einheit ist,

---

[80] Vgl. Anm.30.

d.i. für Gott so viel, als wirklich ein guter (ihm gefälliger) Mensch sein; und in sofern kann diese Veränderung als Revolution betrachtet werden; für die Beurteilung der Menschen aber, die sich und die Stärke ihrer Maximen nur nach der Oberhand, die sie über Sinnlichkeit in der Zeit gewinnen, schätzen können, ist sie nur als ein immer fortdauerndes Streben zum Bessern, mithin als allmähliche Reform des Hanges zum Bösen, als verkehrter Denkungsart, anzusehen. (176)

Zur Überzeugung aber hievon [der Umwandlung der Gesinnung des bösen in die eines guten Menschen] kann nun zwar der Mensch natürlicherweise nicht gelangen, weder durch unmittelbares Bewußtsein, noch durch den Beweis seines bis dahin geführten Lebenswandels; weil die Tiefe des Herzens (der subjektive erste Grund seiner Maximen) ihm selbst unerforschlich ist; aber auf den Weg, der dahin führt, und der ihm von einer im Grunde gebesserten Gesinnung angewiesen wird, muß er *hoffen* können, durch *eigene* Kraftanwendung zu gelangen: weil er ein guter Mensch werden soll, aber nur nach demjenigen, was ihm als von ihm selbst getan zugerechnet werden kann, als *moralisch*-gut zu beurteilen ist...

Nach der moralischen Religion aber (dergleichen unter allen öffentlichen, die es je gegeben hat, allein die christliche ist) ist es ein Grundsatz: daß ein jeder, so viel, als in seinen Kräften ist, tun müsse, um ein besserer Mensch zu werden; und nur alsdann, wenn er sein angebornes Pfund nicht vergraben (Lucä XIX,12-16)[81], wenn er die ursprüngliche Anlage zum Guten benutzt hat, um ein besserer Mensch zu werden, er hoffen könne, was nicht in seinem Vermögen ist, werde durch höhere Mitwirkung ergänzt werden. Auch ist es nicht schlechterdings notwendig, daß der Mensch wisse, worin diese bestehe; vielleicht gar unvermeidlich, daß, wenn die Art, wie sie geschieht, zu einer gewissen Zeit offenbart worden, verschiedene Menschen zu einer andern Zeit sich verschiedene Begriffe, und zwar mit aller Aufrichtigkeit, davon machen würden. Aber alsdann gilt auch

---

[81]   Im Lukasevangelium Gleichnis von dem Herrn, der seinen Knechten bei seinem Abschied Geld (jedem ein Pfund) gab und nach seiner Rückkehr Rechenschaft forderte, ob sie mit diesem Geld gearbeitet und es vermehrt hatten.

der Grundsatz: "Es ist nicht wesentlich, und also nicht jedermann notwendig zu wissen, was Gott zu seiner Seligkeit tue, oder getan habe"; aber wohl, *was er selbst zu tun habe*, um dieses Beistandes würdig zu werden. (177-178)

Auch die Kant-Texte aus der Schrift 'Die Religion innerhalb der Grenzen der bloßen Vernunft' sind im Ersten Teil ausführlich erläutert; die zentralen Zitate sind dort abgedruckt. Die hier abgedruckten Textpassagen sollen den Gedankengang, in dem Kant seine zentralen Aussagen entwickelt, darlegen. Wie für die Lektüre der Texte aus der 'Anthropologie', so gilt auch und besonders für diese: Die Texte sind nicht einfach. Man muß sie mehrmals lesen, sich zum Teil Satz für Satz erarbeiten und in die eigene Sprache 'übersetzen'. Aber ich habe immer wieder festgestellt, daß dies auch Anfängern Vergnügen bereitet. Denn ein Vergnügen ist es schon, wenn allmählich - auch schwierige - philosophische Aussagen verständlich werden.

Sicher werden Antwortversuche auf die Frage: Was ist der Mensch? im Rahmen der jüdisch-christlichen Gottesrede nicht alle Menschen überzeugen, nicht die nichtreligiösen, aber auch nicht alle religiösen. In den neuen Bundesländern bezeichnen sich etwa 80 % der Bürger als konfessionslos. Aber auch viele Menschen, die sich als 'religiös' bezeichnen, verstehen unter 'Religion' nicht die monotheistischen Religionen, sondern einen vagen Glauben daran, daß nicht alles rational, und d.h. mit einem verkürzten Rationalitätsbegriff der sog. exakten Wissenschaften erklärbar ist. Viele, die sich noch als Christen bezeichnen, suchen dennoch nicht Antwort auf letzte Fragen im Horizont der jüdisch-christlichen Gottesrede.

> Es gibt auch heute Menschen, für die bei aller Kritik und Distanz zum Reden über Gott dieses Reden von Gott die zentrale und für ihr Leben und Sterben entscheidende Orientierung bedeutet. Wer begreift, daß Menschen nicht dieselben letzten Gründe für ihr Denken und Handeln haben ohne eine für alle verbindliche Letztbegründung, wird sich über seine eigenen letzten Gründe Klarheit verschaffen müssen.

II.2.2.3. Antworten angesichts der gegenwärtigen Überlebens und Lebensprobleme

Zu den im Ersten Teil erläuterten drei Möglichkeiten neuer Antwortversuche auf die Frage, was der Mensch ist, gebe ich einige Beispiele.

Suche der Menschen nach neuen letzten Orientierungen

Kunst - "das große Stimulans des Lebens" (Nietzsche)

Kunst ist von Anbeginn an immer auch als *eine* Möglichkeit verstanden worden, angesichts der grauenvollen Leiden in Natur und Geschichte sowie im menschlichen Zusammenleben letzte Erfahrungsmöglichkeiten des Menschen mit verbalen und nichtverbalen Zeichen, Metaphern und Symbolen darzustellen. Aber ist die Kunst nicht überfordert, wenn von ihr erwartet wird, Erlösung vom Leiden oder Kompensation des Leidens geben zu können? Oder wird Kunst dann zur 'Kunstreligion', die für einige wenige Intellektuelle eine "Oase"

(Gehlen) bedeutet, in der sie die Wüste des Lebens vergessen können?

Friedrich Nietzsche, Die Kunst in der 'Geburt der Tragödie'[82]

Wir haben Lüge nötig, um über diese Realität, diese 'Wahrheit' zum Sieg zu kommen, das heißt, *um zu leben* ... Daß die Lüge nötig ist, um zu leben, das gehört selbst noch mit zu diesem furchtbaren und fragwürdigen Charakter des Daseins.

Die Metaphysik, die Moral, die Religion, die Wissenschaft - sie werden in diesem Buche nur als verschiedene Formen der Lüge in Betracht gezogen: mit ihrer Hilfe wird ans Leben *geglaubt*. 'Das Leben *soll* Vertrauen einflößen': die Aufgabe, so gestellt, ist ungeheuer. Um sie zu lösen, muß der Mensch schon von Natur Lügner sein, er muß mehr als alles andere *Künstler* sein. Und er *ist* es auch: Metaphysik, Religion, Moral, Wissenschaft - alles nur Ausgeburten seines Willens zur Kunst, zur Lüge, zur Flucht vor der 'Wahrheit', zur *Verneinung* der 'Wahrheit'. Das Vermögen selbst, dank dem er die Realität durch die Lüge vergewaltigt, dieses Künstler-Vermögen des Menschen *par excellence* - er hat es noch mit allem, was ist, gemein. Er selbst ist ja ein Stück Wirklichkeit, Wahrheit, Natur: wie sollte er nicht auch ein Stück *Genie der Lüge* sein! ...

Die Kunst und nichts als die Kunst! Sie ist die große Ermöglicherin des Lebens, die große Verführerin zum Leben, das große Stimulans des Lebens.

Die Kunst als einzig überlegene Gegenkraft gegen allen Willen zur Verneinung des Lebens, als das Antichristliche, Antibuddhistische, Antinihilistische *par excellence*.

---

[82] Aus dem Nachlaß der achtziger Jahre, in: Werke in drei Bänden, hrsg. von K. Schlechta, München 1966, 691- 694. In der 'Geburt der Tragödie aus dem Geiste der Musik' (1870/71) deutet Nietzsche die Kunst aus dem Gegensatz des Apollinischen, des schönen Scheins des Traums, und des Dionysischen, des Rausches.

Die Kunst als die *Erlösung des Erkennenden* - dessen, der den furchtbaren und fragwürdigen Charakter des Daseins sieht, sehen will, des Tragisch-Erkennenden.

Die Kunst, als die *Erlösung des Handelnden* - dessen, der den furchtbaren und fragwürdigen Charakter des Daseins nicht nur sieht, sondern lebt, leben will, des tragisch-kriegerischen Menschen, des Helden.

Die Kunst, als die *Erlösung des Leidenden* - als Weg zu Zuständen, wo das Leiden gewollt, verklärt, vergöttlicht wird, wo das Leiden eine Form der großen Entzückung ist....

Dies Buch ist dergestalt sogar antipessimistisch: nämlich in dem Sinne, daß es etwas lehrt, das stärker ist als der Pessimismus, das 'göttlicher' ist als die Wahrheit: die *Kunst*. Niemand würde, wie es scheint, einer radikalen Verneinung des Lebens, einem wirklichen Nein*tun* noch mehr als einem Neinsagen zum Leben ernstlicher das Wort reden, als der Verfasser dieses Buches. Nur weiß er - er hat es erlebt, er hat vielleicht nichts anderes erlebt! - daß die Kunst *mehr wert* ist, als die Wahrheit.

In der Vorrede bereits, ..., erscheint dies Glaubensbekenntnis, dies Artisten-Evangelium: "die Kunst als die eigentliche Aufgabe des Lebens, die Kunst als dessen *metaphysische* Tätigkeit. ..."

Nietzsche glaubt, "daß die Kunst *mehr wert* ist, als die Wahrheit". Nach dem 'Tode Gottes' hat sie die Aufgabe von Metaphysik, Moral und Religion übernommen. Sein neues **"Glaubensbekenntnis, dies Artisten-Evangelium"** lautet:
"Die Kunst als die eigentliche Aufgabe des Lebens, die Kunst als dessen <u>metaphysische</u> Tätigkeit."

Nietzsches Begründung dafür lautet: "*Wir haben die Lüge nötig,* um über diese Realität, diese 'Wahrheit' zum Sieg zu kommen, das heißt, *um zu leben.*" "Wir brauchen nicht die Lüge der alten Metaphysik und Religion - sie sind ein Ergebnis des

"Willens zur Wahrheit" -, sondern den Schein, die Illusion, die Täuschung der Kunst. Weil **Kunst** der "gute Wille zum Schein" ist, ist sie "die große Ermöglicherin des Lebens". Sie ist **"Erlösung des Erkennenden", "Erlösung des Handelnden", "Erlösung des Leidenden".**

Abschied von den humanen Zielen der Aufklärung

Ich weiß natürlich, daß der Begriff human von Verteidigern und Kritikern heute sehr verschieden gebraucht wird. Was Skinner über den Menschen 'Jenseits von Freiheit und Würde' sagt und Moravec bei seinem Plädoyer für die künstliche Intelligenz unserer "postbiologischen Nachkommenschaft" verteidigt und warum der Computerwissenschaftler Weizenbaum dies kritisiert, zeigen die ausgewählten Texte.

> - "Wir haben noch nicht begriffen, was der Mensch aus dem Menschen machen kann." (Skinner, Jenseits von Freiheit und Würde)
> - "Der Wettlauf zwischen menschlicher und künstlicher Intelligenz" (Moravec) oder: "Die Macht der Computer und die Ohnmacht der Vernunft" (Weizenbaum)

Heute sind es vor allem zwei Wissenschaften und auf sie gestützte Techniken, die nach Meinung vieler Menschen, auch Jugendlicher, Orientierung in fast allen Bereichen des Lebens leisten: **die psychologische Verhaltenslehre bzw. Verhaltenstechnologie** und die **Computerwissenschaft**. In Psychologie, Psychotherapie (Individual-, Gruppen-, Partnertherapie),

Pädagogik (programmierter Unterricht, Sprachlabors), in der Wirtschaft (Werbung, Managementschulung) usw. werden die Methoden der auf der *Verhaltenslehre* gründenden *Verhaltenstechnologie* auf breitester Ebene praktiziert. Ein bestimmtes gewünschtes Verhalten wird durch Verstärkung (d.h. Belohnung) eingeübt, habitualisiert: Gruppenverhalten, Arbeitsverhalten, Kaufverhalten oder was auch immer. Worum es bei diesen, heute oft kaum noch bewußt und kritisch wahrgenommenen, Techniken geht, kann an *Skinners,* eines führenden Vertreters des Behaviorismus, Thesen in seinem Buch 'Jenseits von Freiheit und Würde'[83] deutlich werden. Die zweite Form der Wissenschaft, die heute als Orientierungsinstanz angesehen wird, ist die *Computerwissenschaft.* Die Faszination, die von der rasanten Entwicklung der Computertechnik und der sogenannten künstlichen Intelligenz ausgeht, ist nicht nur bei Jugendlichen so groß, daß viele von ihr die Antwort auf alle Fragen des Menschen erwarten. Aussagen von zwei bedeutenden amerikanischen Computerwissenschaftlern, Hans Moravec (Harvard) und Joseph Weizenbaum (Massachusets Institute of Technology) können deutlich machen, worum es hier geht und was für den Menschen auf dem Spiel steht. Die Thesen von Skinner zur Verhaltenstechnologie und von Moravec zur Computerwissenschaft zeigen, wie Wissenschaflter mit einem verkürzten Vernunftbegriff versprechen, durch Abschied von traditionellen Vorstellungen über die Würde des Menschen und auch von Zielen der Aufklärung Krisen der Moderne lösen zu können. Der Computerwissen-

---

[83] B.F. Skinner, Jenseits von Freiheit und Würde, übers. von E. Ortmann, Reinbek bei Hamburg 1973, (Textauszüge in: W. Oelmüller - R. Dölle-Oelmüller - R. Piepmeier, Diskurs: Sittliche Lebensformen, Philosophische Arbeitsbücher 2, UTB 778, Paderborn u.a. [4]1991, 371-377).

Behaviorismus (engl. behaviour - Verhalten) - Theorie, die die Erklärung von Mensch und Gesellschaft ausschließlich auf das Verhalten stützt, das durch die Umwelt bestimmt wird.

schaftler Weizenbaum formuliert Argumente gegen diese wissenschaftlich-technischen Utopien.

Burrhus Frederic Skinner (1904-1990), Jenseits von Freiheit und Würde (1971)

Es liegt in der Natur der experimentellen Analyse menschlichen Verhaltens, daß diese die bislang dem 'autonomen Menschen' zugeschriebenen Funktionen eine nach der anderen der kontrollierenden Umwelt überträgt. Eine solche Analyse bewirkt, daß dem 'autonomen Menschen' immer weniger zu tun bleibt. Aber wie sieht es nun mit dem Menschen selbst aus? Gibt es am Menschen nichts, was mehr ist als nur ein lebender Körper? Wenn nicht etwas namens 'Ich' überlebt, wie können wir dann von Selbsterkenntnis oder Selbstkontrolle sprechen? An wen richtet sich das Gebot 'Erkenne dich selbst? ...

Ein 'Ich' ist ein Verhaltensrepertoire, das einem gegebenen Komplex von Kontingenzen[84] entspricht. Die Bedingungen, denen eine Person ausgesetzt ist, können hier teilweise eine beherrschende Rolle spielen; unter anders gearteten Bedingungen erklärt der Betreffende vielleicht: 'Ich bin außer mir', oder: 'Was du da sagst, was ich getan hätte, hätte ich unmöglich tun können, weil es mir nicht gleichsieht.' Die Identität, die einem Ich zugeschrieben wird, ergibt sich aus den Kontingenzen, die für das Verhalten verantwortlich sind. Zwei oder mehr Repertoires, die von verschiedenen Komplexen von Kontingenzen hervorgebracht werden, bilden zwei oder mehrere Ichs. Jemand kann ein Repertoire besitzen, das seinem Leben mit Freunden, und ein anderes, das seinem Leben mit der Familie entspricht; ein Freund kann in ihm ein völlig anders geartetes Ich entdecken, wenn er ihn zusammen mit seiner Familie erlebt, und dasselbe kann der Familie zustoßen, wenn sie ihn zusammen mit Freunden erlebt. Das Problem der Identität entsteht, wenn sich Situationen vermischen, wenn zum Beispiel eine Person zugleich mit der Familie und mit Freunden zusammen ist....

---

[84] In der Psychologie: Beliebigkeiten, zufällige Einwirkungen.

Die Vorstellung, die sich aus einer wissenschaftlichen Analyse ergibt, ist nicht die eines Körpers mit einer Person darin, sondern die eines Körpers, der eine Person *ist* in dem Sinne, daß er ein komplexes Verhaltensrepertoire entfaltet. Diese Vorstellung ist natürlich ungewohnt. Stellt man den Menschen so dar, erscheint er als ein Fremder, und vom traditionellen Standpunkt aus gesehen hat er vielleicht überhaupt nichts Menschenähnliches an sich.... C.S. Lewis[85] drückte das sehr unverblümt aus: Der Mensch sei im Begriff, abgeschafft zu werden.

Augenscheinlich haben wir es mit Schwierigkeiten zu tun, wenn wir den Menschen identifizieren wollen, auf den solche Bemerkungen zutreffen. Lewis kann nicht die Spezies Mensch gemeint haben, denn diese wird nicht nur nicht abgeschafft, sondern sie füllt zusehends unsere Erde. (Es ist möglich, daß sie sich als Folge davon schließlich durch Krankheiten, Hungersnöte, Umweltverschmutzung oder eine Atomkatastrophe selbst 'abschafft', aber das ist es nicht, was Lewis gemeint hat.) Und genausowenig verhält sich der Einzelmensch weniger wirksam oder produktiv. Man erklärt uns, daß das, was bedroht ist, der 'Mensch *qua* Mensch' sei, der 'Mensch in seiner Menschlichkeit', der 'Mensch als Du und nicht als Es' oder der 'Mensch als Person und nicht als Ding'. Das sind nicht sonderlich hilfreiche Formulierungen, doch liefern sie uns einen Schlüssel. Was im Begriff ist, abgeschafft zu werden, ist der 'autonome Mensch' - der innere Mensch, der Homunkulus[86], der besitzergreifende Dämon, der Mensch, der von der Literatur der Freiheit und Würde verteidigt wird.

Seine Abschaffung ist seit langem überfällig. Der 'autonome' Mensch ist ein Mittel, dessen wir uns bei der Erklärung jener Dinge bedienen, die wir nicht anders erklären können. Er ist ein Produkt unserer Unwissenheit, und während unser Wissen wächst, löst sich die Substanz, aus der er gemacht ist, immer mehr in Nichts auf. Die Wissenschaft entmenschlicht den Menschen nicht, sie 'dehomunkulisiert'

---

[85] C.S.Lewis in dem Buch: The Abolition of Man, New York 1957.

[86] Homunculus (lat) - Menschlein; in Goethes 'Faust' ein durch chemische Experimente erzeugter Mensch.

ihn, und es bleibt ihr nichts anderes übrig, wenn sie der Abschaffung der menschlichen Spezies vorbeugen will: Wir können froh sein, wenn wir uns von diesem Menschen im Menschen befreit haben. (a.a.O.203-206)

Der experimentellen Analyse zufolge verlagert sich die Determination des Verhaltens vom 'autonomen Menschen' auf die Umwelt, die sowohl für die Evolution der Spezies als auch für das Repertoire, das jedes ihrer Mitglieder erworben hat, verantwortlich ist. ... Wird der Mensch 'abgeschafft' werden? Er wird gewiß nicht abgeschafft werden als Spezies oder als Einzelperson, die bestimmte Dinge erstrebt und vollbringt. Es ist der autonome innere Mensch, der abgeschafft wird, und das ist ein guter Schritt voran. Aber wird der Mensch dadurch nicht zum Betrogenen oder zu einem passiven Beobachter dessen, was mit ihm geschieht? Er wird in der Tat von seiner Umwelt kontrolliert, doch dürfen wir nicht vergessen, daß dies eine Umwelt ist, die er großenteils selbst geschaffen hat. Die Evolution einer Kultur ist eine gewaltige Einübung in Selbstkontrolle. Viele behaupten, die wissenschaftliche Sicht des Menschen führe zu verletzter Eitelkeit, zu einem Gefühl der Hoffnungslosigkeit und zu einer Sehnsucht nach Vergangenem. Aber keine Theorie ändert das, worüber eine Theorie handelt; der Mensch bleibt, was er immer gewesen ist. Dagegen kann eine neue Theorie die Möglichkeit verändern, auf den Gegenstand einzuwirken. Die wissenschaftliche Sicht des Menschen bietet erregende Möglichkeiten. Wir haben noch nicht erkannt, was der Mensch aus dem Menschen machen kann. (a.a.O.220)

Skinners zentrale These ist: Aufgrund der "experimentellen Analyse" der Wissenschaften wird "der Mensch 'abgeschafft' werden". Der **'Tod des Menschen'** betrifft nicht die Spezies Mensch, sondern den "autonomen Menschen" der Freiheit und Würde.

"Seine Abschaffung", sagt Skinner, "ist seit langem überfällig. ... Er ist ein Produkt unserer Unwissenheit." Aus der "wissen-

schaftlichen Analyse" des Menschen ergibt sich für Skinner:
Daß das Handeln des Menschen von seiner Gewissensent-
scheidung bestimmt wird, ist ein 'alteuropäischer' Irrtum. Der
Mensch ist nicht eine identische Person, sondern **"ein 'Ich' ist
ein Verhaltensreperoire"**, d.h. je nach entsprechender Umgebung (Familie, Freunde, Arbeitsplatz, Schule) habe ich ein
geeignetes Verhaltensrepertoire zur Verfügung, das mich in
dieser Umgebung 'gut', d.h. angepaßt, zu handeln befähigt.
Damit sind "'Normen' ... ganz einfach Aussagen über Kontingenzen", und Ethos und Moral sind nur Aussagen über gewünschtes Gruppenverhalten. Daher ist für Skinner die "Feststellung" 'Du sollst nicht stehlen' "nicht normativer als die
Feststellung: 'Wenn Kaffee dich wachhält und du schlafen
möchtest, dann trinke keinen.'"(a.a.O.120)

Dieser Bruch mit allen bisherigen Traditionen, mit der
jüdisch-christlichen Tradition und mit allen direkt oder
indirekt durch diese und die griechische Aufklärung
bestimmten modernen Aufklärungstraditionen, und die
"Abschaffung" des autonomen Menschen ist für Skinner kein Unglück. Ganz im Gegenteil. Der letzte Satz
des Buches 'Jenseits von Freiheit und Würde' lautet:
"Die wissenschaftliche Sicht des Menschen bietet erregende Möglichkeiten. Wir haben noch nicht erkannt,
was der Mensch aus dem Menschen machen kann."

Wie sehr solche Verhaltenstechnologien unser alltägliches
Verhalten zu beeinflussen suchen und auch beeinflussen,
braucht man sich nur an dem simplen Beispiel der täglichen
Fernsehwerbung bewußt zu machen. Da wirbt etwa Lenor damit, daß das neben der Mutter schattenhaft erscheinende kon-
trollierende Ich des schlechten 'Gewissens' dieser klarmacht,

daß das Unglück ihres Kindes in dem fehlenden Gebrauch des Weichspülmittels begründet ist, nämlich in einem kratzenden Pullover, das Glück dagegen im Konsum von Lenor. Wie groß der Einfluß der Werbung auf Jugendliche ist, zeigt eine (beliebige) Zeitungsnotiz vom 11.11.1993 in den 'Westfälischen Nachrichten': 50 % aller Jugendlichen geben zu, mindestens gelegentlich vom 'Kaufrausch' gepackt zu werden und über ihre wirtschaftlichen Verhältnisse zu leben, weil sie sonst in ihren Gruppen nicht anerkannt würden.

Skinner glaubt, durch Verhaltenstechnologie eine aggressionsfreie Gesellschaft schaffen zu können; dies ist seine 'Vision', die er als Realutopie in seinem Roman 'Futurum Zwei' darstellt.

Der entscheidende Einwand gegen solche Formen der Verhaltenstechnologie ist: Wer oder welche Instanz setzt hier fest und entscheidet, was der Mensch sein soll und was das richtige Handeln ist?

Vom guten Philosophenkönig und selbstlosen 'Heiligen' bis zum totalitären Diktator sind hier prinzipiell alle Möglichkeiten offen. Hier erfährt der handelnde Mensch nicht Orientierung durch "Selbstdenken" und "sich im Denken Orientieren", sondern ihm wird von anderen gesagt, was er zu tun und zu denken hat, um in einer bestimmten Umwelt gut zu funktionieren.

Hans Moravec, Mind Children. Der Wettlauf zwischen menschlicher und künstlicher Intelligenz (1988)[87]

Was uns erwartet, ist nicht Vergessen, sondern eine Zukunft, die man aus heutiger Sicht am ehesten als 'postbiologisch' oder auch 'übernatürlich' bezeichnen kann. In dieser zukünftigen Welt wird die menschliche Art von einer Flutwelle kultureller Veränderungen fortgerissen und von der eigenen künstlichen Nachkommenschaft verdrängt werden. Wie diese Welt am Ende aussehen wird, wissen wir nicht; doch viele Zwischenschritte sind nicht nur vorhersagbar, sondern bereits vollzogen. Heute sind unsere Maschinen noch einfache Geschöpfe, die wie alle Neugeborenen der elterlichen Pflege und Fürsorge bedürfen und kaum als 'intelligent' zu bezeichnen sind. Doch im Laufe des nächsten Jahrhunderts werden sie zu Gebilden heranreifen, die ebenso komplex sind wie wir selbst, um schließlich über uns und alles, was wir kennen, hinauszuwachsen, so daß wir eines Tages stolz sein dürfen, wenn sie sich als unsere Nachkommen bezeichnen.

Da diese Kinder unseres Geistes nicht auf den stockenden Gang der biologischen Evolution angewiesen sind, werden sie sich ungehemmt entfalten und sich gewaltigen Aufgaben von grundsätzlicher Bedeutung im größeren Universum zuwenden. Wir Menschen werden eine Zeitlang von ihrer Arbeit profitieren. Doch über kurz oder lang werden sie, wie biologische Kinder, ihre eigenen Wege gehen, während wir, die Eltern, alt werden und abtreten. Bei dieser Wachablösung braucht kaum eine unserer Errungenschaften verloren zu gehen. Es wird in der Macht unserer künstlichen Kinder liegen, sich an fast alles zu erinnern, was uns betrifft, vielleicht sogar an die geistige Aktivität eines Individuums. (a.a.O. 9-10)

Wir sind dem Zeitpunkt schon sehr nahe, zu dem praktisch jede wichtige körperliche oder geistige Funktion des Menschen ihr künstliches Pendant haben wird. Die Verkörperung dieses Schnittpunkts vieler kultureller Entwicklungslinien wird der intelligente Roboter sein, eine Maschine, die wie der Mensch denken und handeln kann, mag sie ihm im materiellen oder intellektuellen Detail auch noch so

---

[87] Hamburg 1990.

unähnlich sein. Solche Maschinen könnten ohne unsere Mitwirkung und ohne Beteiligung der Gene, der auch sie ihre Existenz verdanken, die kulturelle Evolution fortsetzen - wozu auch die Konstruktion ihrer selbst und ein immer rascher ablaufender Prozeß der Selbstvervollkommnung gehören würden. Wenn dieser Fall eintritt, hat unsere DNA das evolutionäre Wettrennen gegen eine ganz neue Art von Konkurrenz verloren und ist fortan ohne Aufgabe. (a.a.O.11)

Früher oder später werden unsere Maschinen so klug sein, daß sie sich ohne fremde Hilfe instandhalten, reproduzieren und vervollkommnen können. Sobald dies der Fall ist, wird die neue genetische Wachablösung abgeschlossen sein. Unsere Kultur wird dann in der Lage sein, sich unabhängig von der menschlichen Biologie und ihren Grenzen zu entwickeln und wird statt dessen direkt von einer Maschinengeneration auf die nächste, noch leistungsfähigere, noch intelligentere übergehen.

Unsere Gene und die Körper aus Fleisch und Blut, die sie hervorbringen, werden unter den neuen Verhältnissen rasch an Bedeutung verlieren. Doch wird auch unser Geist, in dem die Kultur einst ihren Ursprung hatte, bei dem Staatsstreich auf der Streckie bleiben? Das muß nicht sein. Die bevorstehende Revolution wird den menschlichen Geist vielleicht ebenso befreien wie die menschliche Kultur. ...

Es fällt nicht schwer, sich menschliches Denken frei von der Bindung an einen sterblichen Körper vorzustellen - schließlich glauben viele Menschen an ein Leben nach dem Tode. Doch man braucht keinen mystischen oder religiösen Standpunkt einzunehmen, um einen solchen Vorgang für möglich zu halten. Computer liefern ein Modell, mit dem auch der überzeugteste Anhänger mechanistischen Denkens etwas anfangen kann. Einen Rechenvorgang - gewissermaßen den Denkprozeß des Computers - kann man an beliebiger Stelle unterbrechen, als Programm und Datei aus dem Speicher der Maschine auf einen völlig unabhängigen Computer übertragen und dort fortsetzen, als sei nichts geschehen. Man braucht sich nur vorzustellen, daß der menschliche Geist in ähnlicher (wenn auch technisch sehr viel komplizierterer) Weise aus seinem Gehirn befreit wird. (a.a.O.12-14)

Eine postbiologische Welt, die von sich selbst vervollkommnenden, denkenden Maschinen beherrscht würde, wäre von unserer Welt der

Lebewesen so verschieden, wie diese von der Welt der leblosen Chemie, die ihr vorangig. Sich eine Bevölkerung von solchen Kindern des Geistes, die durch keinerlei materielle Zwänge mehr eingeengt sind, vorzustellen, übersteigt eigentlich die Kraft unserer Phantasie. (a.a.O.14-15)

Joseph Weizenbaum, Die Macht der Computer und die Ohnmacht der Vernunft (1976)[88]

Ohne Frage hat die Einführung des Computers in unsere bereits hochtechnisierte Gesellschaft, ..., lediglich die früheren Zwänge verstärkt und erweitert, die den Menschen zu einer immer rationalistischeren Auffassung seiner Gesellschaft und zu einem immer mechanistischeren Bild von sich selbst getrieben haben. Deshalb ist es wichtig, daß ich meine Abhandlung über den Einfluß des Computers auf den Menschen und seine Gesellschaft so aufbaue, daß deutlich wird, daß es sich um eine besondere Art der Verschlüsselung eines viel umfassenderen Einflusses handelt, nämlich auf die Rolle des Menschen angesichts von Techniken und Technologien, die er möglicherweise weder verstehen noch kontrollieren kann. Dieses Thema ist schon seit längerem Gegenstand zahlreicher Erörterungen, die vor allem in den letzten Jahren zugenommen haben. ...

Die Kontrahenten auf der einen Seite glauben, kurz gesagt, daß man mit Computern alles machen könne und solle und daß man dazu auch in der Lage sein werde, während die Gegenseite, zu der auch ich mich rechne, der Ansicht ist, daß das Aufgabengebiet begrenzt ist, auf dem man Computer einsetzen sollte.

Auf den ersten Blick könnte es so aussehen, als handle es sich hier um eine hausinterne Debatte, deren Konsequenzen sich allenfalls bei einer kleinen Gruppe von Computerspezialisten bemerkbar machen. Aber wie sehr auch das Problem durch eine technische Fachsprache verstellt ist, so besteht es im Grunde doch darin, ob man wirklich jeden Aspekt des menschlichen Denkens auf einen logischen Formalismus zurückführen kann oder, um es modern auszudrücken, ob das

---

[88] Frankfurt a.M. 1977.

menschliche Denken wirklich berechenbar ist. In der einen oder anderen Form hat diese Frage zu allen Zeiten die Denker beschäftigt. Der Mensch war schon immer auf der Suche nach Prinzipien, nach denen er sein Dasein ordnen und ihm Sinn und Bedeutung verleihen konnte. Aber bevor die moderne Naturwissenschaft die Techniken hervorbrachte, mit denen ihre ursprünglich abstrakten Systeme in die Wirklichkeit umgesetzt und konkretisiert werden konnten, waren die Denksysteme, die den Platz des Menschen im Universum definierten, wesentlich der Rechtssphäre zugeordnet. Ihr Zweck bestand darin, die Verpflichtungen des Menschen gegenüber seinen Mitmenschen und der Natur festzulegen. Die jüdische Tradition beruht z.B. auf der Vorstellung eines Vertragsverhältnisses zwischen Gott und dem Menschen. Dieses Verhältnis muß sowohl Gott als auch dem Menschen einen autonomen Spielraum lassen und tut dies auch, denn ein Vertrag ist ein Abkommen, das zwei Parteien freiwillig getroffen haben, denen es freisteht, gegebenenfalls auch kein Abkommen zu schließen. Die Autonomie des Menschen und seine daraus abgeleitete Verantwortung ist ein wesentliches Kennzeichen aller religiösen Systeme. Demgegenüber sind die geistigen Kosmologien, die die moderne Naturwissenschaft hervorgebracht hat, allesamt mit dem Bazillus der logischen Notwendigkeit behaftet. Abgesehen von den Theorien einiger einsichtiger Naturwissenschaftler und Philosophen begnügen sie sich nicht mehr damit, Erscheinungsformen zu erklären, sondern erheben den Anspruch, Aussagen darüber machen zu können, was Wirklichkeit ist und wie sie beschaffen sein sollte. Kurz gesagt, sie verwandeln Wahrheit in Beweisbarkeit.

Eine der Konsequenzen dieser Ausrichtung der modernen Naturwissenschaft bestand darin, daß die Frage 'Welche Aspekte des Lebens lassen sich formalisieren?' aus der moralischen Frage 'Wie und in welcher Form ist eine Erkenntnis der Verpflichtungen und Verantwortlichkeiten des Menschen möglich?' in die Frage transformiert wurde: 'Zu welcher technischen Gattung gehört die menschliche Art?' (a.a.O.25-27)

Eine der Positionen, die ich hier verteidigen möchte, ist scheinbar jedermann einsichtig: daß es nämlich wesentliche Unterschiede zwischen denkenden Menschen und denkenden Maschinen gibt. Wie immer intelligente Maschinen auch hergestellt werden können - ich bleibe bei der Auffassung, daß bestimmte Denkakte ausschließlich dem Menschen vorbehalten sein *sollten*. ...

Gewiß verdanken wir vieles von dem, was wir heutzutage als gut und nützlich ansehen, und von dem, was als Wissen und Weisheit gelten könnte, der Naturwissenschaft. Aber man kann die Naturwissenschaft ebensogut als Droge betrachten, die süchtig macht. ... Und so hat die Gleichung 'Vernunft = Logik', die uns der bloße Erfolg der Naturwissenschaft schon fast als Axiom suggeriert hat, uns zur Verleugnung tatsächlich bestehender menschlicher Konflikte geführt, damit auch zur Leugnung der bloßen Möglichkeit einer Kollision von im Grunde unvergleichbaren menschlichen Interessen und unvereinbaren menschlichen Werten und damit der Existenz menschlicher Werte überhaupt. Es mag sein, daß menschliche Werte eine Illusion sind, wie F.B. Skinner behauptet. Wenn das stimmt, so ist es vermutlich an der Wissenschaft, diese Tatsache zu belegen, wie Skinner (als Naturwissenschaftler) dies auch versucht. Aber dann muß die Naturwissenschaft selbst ein System der Illusionen sein. Denn das einzig sichere Wissen, das uns die Naturwissenschaft vermitteln kann, ist das über das Verhalten formaler Systeme, d.h. von Systemen, die nichts anderes sind als vom Menschen erfundene Spiele, in denen das Beteuern der Wahrheit nicht mehr und nicht weniger ist als die Feststellung - wie beim Schachspiel -, daß eine bestimmte Stellung der Figuren nach einer Abfolge regelgemäßer Züge erreicht wurde. (a.a.O. 28-30)

Jede menschliche Intelligenz ist somit[89] auf sehr viele Bereiche des Denkens und Handelns gar nicht anwendbar. Es gibt weite Bereiche rein menschlicher Probleme innerhalb jeder Gesellschaft, in denen ein Mitglied einer anderen Gesellschaft unmöglich verantwortliche Entscheidungen treffen kann. Nicht daß der Außenseiter aus prinzipiellen Gründen zu einer Entscheidung unfähig wäre - er könnte z.B. immer noch eine Münze werfen -, aber die *Basis*, auf der er die Ent-

---

[89] Im vorausgehenden Text macht Weizenbaum am Beispiel der Gerichtsbarkeit klar, daß wegen der unterschiedlichen sozialen Normen "kein amerikanischer Richter, ungeachtet seiner Intelligenz und seines Gerechtigkeitssinns, einem japanischen Familiengericht beisitzen" könnte.

scheidung treffen müßte, ist zwangsläufig dem Kontext unangemessen, innerhalb dessen die Enscheidung getroffen werden muß.

Was könnte offensichtlicher sein als die Tatsache, daß ein Computer über noch soviel Intelligenz verfügen kann, wie immer er diese erwirbt, sie muß zwangsläufig und immer gegenüber wirklich menschlichen Problemen absolut fremd sein. Allein schon die ausgesprochene Frage: 'Gibt es irgend etwas, das ein Richter (oder ein Psychiater) weiß, was wir einem Computer nicht mitteilen können?' ist eine ungeheure Schamlosigkeit. Daß sie überhaupt gedruckt werden mußte, und sei es auch nur, um ihre Morbidität anzuprangern, ist ein Zeichen für die Geisteskrankheit unserer Zeit.

Computer können juristische Entscheidungen treffen und psychiatrische Urteile fällen. Sie können auf viel ausgesuchtere Weise Münzen werfen als das geduldigste menschliche Wesen. Der Punkt ist, daß ihnen solche Aufgaben nicht übertragen werden *sollten*. Sie können sogar imstande sein, in einigen Fällen zu 'korrekten' Entscheidungen zu gelangen - aber immer und unausweichlich auf einer Grundlage, die kein Mensch willentlich akzeptieren sollte.

Es hat viele Diskussionen über 'Computer und menschliches Denken' gegeben. Der Schluß, der sich mir aufdrängt, ist hier, daß die relevanten Probleme weder technischer noch mathematischer, sondern ethischer Natur sind. Sie können nicht dadurch gelöst werden, daß man Fragen stellt, die mit 'können' beginnen. Die Grenzen in der Anwendung von Computern lassen sich letztlich nur als Sätze angeben, in denen das Wort 'sollten' vorkommt. Die wichtigste Grundeinsicht, die uns daraus erwächst, ist die, daß wir zur Zeit keine Möglichkeit kennen, Computer auch klug zu machen, und daß wir deshalb im Augenblick Computern keine Aufgaben übertragen sollten, deren Lösung Klugheit erfordert. (a.a.O.299-300)

Die Erfolge wissenschaftlich-technischer Fortschritte auf technischen, naturwissenschaftlichen, medizinischen Gebieten erwecken die Vorstellung von der totalen Machbarkeit.

> Vor allem unter dem zunehmenden Einfluß des Computers, zunehmend auch für das Leben und die Lebensgestaltung der einzelnen Menschen, ist ein Wissensbegriff herrschend, der auf einem reduzierten Vernunft- und Rationalitätsbegriff beruht. "Vernunft = Logik", Wissen ist quantifizierbar, bedeutet oft nur Information.

Wenn die "Mind Children" tatsächlich den "Wettlauf zwischen menschlicher und künstlicher Intelligenz" gewinnen sollten, wie H. Moravec glaubt, wäre diese "postbiologische Welt, die von sich selbst vervollkommnenden denkenden Maschinen beherrscht würde," der zu Ende gedachte Alptraum einer 'schönen neuen Welt'. Nach Weizenbaum dagegen hat die Einführung des Computers "lediglich die früheren Zwänge verstärkt und erweitert, die den Menschen zu einer immer rationalistischeren Auffassung seiner Gesellschaft und zu einem immer mechanistischeren Bild von sich selbst getrieben haben".

Viele Menschen, vor allem viele junge Menschen, glauben heute, "daß man mit Computern alles machen könne und solle". Die Zunahme bzw. Anhäufung von quantifizierbarem Wissen bedeutet jedoch keine Orientierung über die nach Kant wirklich letzten Fragen des Menschen: was kann ich wissen? was soll ich tun? was darf ich hoffen? was ist der Mensch? Über seine Lebensbedingungen wußten nach Max Weber ein Indianer oder ein Hottentotte besser Bescheid als wir.

> Nach Weizenbaum ist "der Glaube an die Gleichung 'Vernunft = Logik'" eine der entscheidenden Ursachen für Orientierungslosigkeit angesichts der letzten Fragen unseres Lebens, Handelns und Leidens.

Dieser reduzierte Vernunftbegriff macht blind für die Einsicht, "daß die relevanten Probleme weder technischer noch mathematischer, sondern ethischer Natur sind". Sie können nicht mit Logik und Computern, sondern nur mit Klugheit gelöst werden.

Weiterführung der Aufklärung: Das Subjekt vom Anderen aus

Emmanuel Levinas, Die Spur des Anderen (1963/64)[90]

Das Bedürfnis öffnet sich auf eine Welt, die *für mich* ist - es kehrt zu sich selbst zurück. Selbst als sublimes, als Bedürfnis nach Heil, ist es noch Heimweh, Schmerz um die Rückkehr. Das Bedürfnis ist die Rückkehr selbst, die Angst des Ich um sich selbst, Egoismus, ursprüngliche Form der Identifikation, Assimilation der Welt, um mit sich selbst übereinzustimmen, um Glück zu erlangen.

Im 'Cantique des Colonnes' spricht Valéry[91] vom "Verlangen ohne Mangel". Er bezieht sich vermutlich auf Platon, der in seiner Analyse

---

[90] Schlußteil des Aufsatzes: Die Bedeutung und der Sinn, in: Humanismus des anderen Menschen, übers. u. eingel. von L. Wenzler, Hamburg 1989, 37-59.

[91] Paul Valéry (1871-1945), französischer Lyriker sowie Literatur- und Kunsttheoretiker.

der reinen Freuden ein Streben entdeckte, das durch keinen vorgän-
gigen Mangel bedingt wird[92]. Wir nehmen diesen Begriff des Verlangens wieder auf. Einem auf sich selbst gerichteten Subjekt, das
nach der stoischen Formulierung durch die *horme* [Streben] oder
durch die Tendenz, in seinem Sein zu beharren, charakterisiert ist,
einem Subjekt, dem es nach der Heideggerschen Formulierung "in
seinem Sein um dieses Sein selbst geht", einem Subjekt, das dergestalt durch die Sorge um sich selbst bestimmt wird und das im Glück
sein *für-sich-selbst* vollzieht, setzen wir das Verlangen nach dem
Anderen entgegen, das von einem schon gesättigten und in diesem
Sinne unabhängigen Seienden ausgeht, das nicht für sich selbst verlangt. Als Bedürfnis desjenigen, der keine Bedürfnisse hat, erkennt
es sich im Bedürfnis eines Anderen, welches *der* Andere ist; dieser
Andere ist weder mein Feind (wie er es bei Hobbes[93] und bei Hegel
ist) noch meine "Ergänzung, wie er es noch im Staate Platons ist, der
sich nur konstituiert, weil jedem Individuum etwas zu seinem Aus-
kommen fehlt. Das Verlangen nach dem Anderen - die Gemein-
schaftlichkeit - entsteht in einem Wesen, dem nichts fehlt, oder, genauer, es entsteht jenseits alles dessen, was ihm fehlen oder wovon
es gesättigt werden kann. Im Verlangen wird das Ich zum Anderen
hingetragen, so daß es die souveräne Identifikation des Ich mit sich
selbst kompromittiert; das Bedürfnis ist nichts anderes als die Sehnsucht nach dieser Identifikation und das Bewußtsein des Bedürfnisses nimmt sie nur vorweg. Anstatt mich zu ergänzen oder zu befriedigen, bringt mich die Bewegung auf den Anderen hin in eine Situation, die mich in gewisser Hinsicht gar nicht anging und mich gleichgültig lassen sollte: Was habe ich auf dieser Galeere denn zu suchen?[94] Woher kommt mir dieser Schock, wenn ich unter dem Blick
des Anderen gleichgültig vorbeigehe? Das Verhältnis zum Anderen
stellt mich in Frage, entleert mich meiner selbst und hört nicht auf,

---

[92] In den Dialogen Philebos und Politeia.

[93] Thomas Hobbes (1588-1679) kennzeichnet das Leben der Menschen im Naturzustand (s.Anm.21) so: homo homini lupus (der
Mensch ist für den Menschen ein Wolf) und durch das bellum
omnium contra omnes (den Krieg aller gegen alle).

[94] Anspielung auf ein Zitat aus Molière (1622-1673), Scapins Schel-
menstreiche.

mich zu entleeren, indem es mir immer neue Ressourcen entdeckt. Ich wußte gar nicht, daß ich so reich bin, aber ich habe nicht mehr das Recht, etwas zu behalten. Ist das Verlangen nach dem Anderen Appetit oder Großmut? Das Verlangenswerte sättigt nicht mein Verlangen, sondern läßt es anwachsen, indem es mich in gewissem Sinne mit neuem Hunger nährt. Das Verlangen enthüllt sich als Güte. In 'Schuld und Sühne' von Dostoevskij[95] gibt es eine Szene, in der Sonja Marmeladova auf Raskolnikov in seiner Verzweiflung schaut; hier spricht Dostoevskij von "unersättlichem Mitleid". Er sagt nicht "unerschöpfliches Mitleid". Wie wenn das Mitleiden, das von Sonja zu Raskolnikov hinübergeht, ein Hunger wäre, den die Gegenwart Raskolnikovs über jede Sättigung hinaus nährt, indem es diesen Hunger ins Unendliche wachsen läßt.

Das Verlangen nach dem Anderen, das wir in der banalsten sozialen Erfahrung leben, ist die grundlegende Bewegung, der reine Transport, die absolute Orientierung, der Sinn. ...

Zuerst kam es uns darauf an, das Verlangen vom Bedürfnis zu unterscheiden; durch es zeichnet sich ein Sinn im Sein ab; die Analyse dieses Verlangens wird präzisiert werden durch die Analyse der Andersheit, zu der hin das Verlangen getragen wird.

Die Manifestation des Anderen ereignet sich auf den ersten Blick zwar in gleicher Weise, wie jede Bedeutung sich ereignet. Der Andere ist anwesend in einem kulturellen Ganzen und wird durch diesen Zusammenhang erklärt, so, wie ein Text durch seinen Kontext. ... Doch die Epiphanie [Erscheinung] des Anderen enthält eine eigene Bedeutung, die unabhängig ist von dieser aus der Welt erhaltenen Bedeutung. Der Andere kommt zu uns nicht nur vom Kontext her, sondern er bedeutet ohne diese Vermittlung, durch sich selbst. (a.a.O. 37-40)

Die Epiphanie des absolut Anderen ist Antlitz, in dem der Andere mich anruft und mir einen Befehl erteilt, und zwar durch seine Nacktheit, durch sein Entblößtsein. Seine Gegenwart ist eine Auffor-

---

[95] (1821-1881), russischer Dichter; Raskolnikov und Sonja sind Hauptfiguren in dem Roman 'Schuld und Sühne'.

derung zu antworten. Das Ich macht sich diese Notwendigkeit zu antworten nicht bloß bewußt, als ob es sich um eine Verpflichtung oder um eine besondere Aufgabe, über die es zu entscheiden hätte, handeln würde. Es ist in seiner Stellung selbst durch und durch Verantwortlichkeit oder Diakonie [Dienst am Nächsten], wie im 53. Kapitel des Buches Jesaja [des Alten Testaments].

Ich sein bedeutet von daher, sich der Verantwortung nicht entziehen zu können, wie wenn das ganze Gebäude der Schöpfung auf meinen Schultern ruhte. Doch die Verantwortung, die das Ich seines Imperialismus und seines Egoismus - und sei es des Heilsegoismus - entleert, wandelt es nicht in ein Moment der universalen Ordnung um, sondern sie bestätigt die Einzigkeit des Ich. Die Einzigkeit des Ich, das ist die Tatsache, daß niemand an meiner Stelle antworten und verantwortlich sein kann. (a.a.O.43)

Die Absolutheit der Anwesenheit des Anderen, die Absolutheit, die die Interpretation seiner Epiphanie in der außerordentlichen Geradheit des Du-Sagens rechtfertigte, ist nicht die einfache Anwesenheit, in der letztendlich auch die Dinge anwesend sind. Ihre Anwesenheit gehört noch zur Gegenwart *meines* Lebens. Alles das, was mein Leben mit seiner Vergangenheit und seiner Zukunft ausmacht, ist versammelt in der Gegenwart, in der die Dinge auf mich zukommen. Das Antlitz aber leuchtet auf in der Spur des Anderen: Was darin anwesend ist, das ist im Begriff, sich von meinem Leben abzulösen, und es sucht mich heim als etwas, das schon ab-solut [lat. ab-gelöst] ist. Jemand ist schon vorbeigegangen. Seine Spur *bedeutet* nicht sein Vorübergegangensein, wie sie auch nicht seine Arbeit oder sein Genießen in der Welt *bedeutet*, sie *ist* vielmehr die Störung selbst, die sich mit unabweisbarem Nachdruck [gravié] eindrückt (man ist versucht zu sagen: *eingraviert*)....

Der Gott, der vorbeigegangen ist, ist nicht das Modell, dessen Abbild das Antlitz wäre. 'Nach Gottes Ebenbild sein' bedeutet nicht, daß man die Ikone Gottes ist, sondern es bedeutet, daß man sich in seiner Spur befindet. Der geoffenbarte Gott unserer jüdisch-christlichen Spiritualität bewahrt die ganze Unendlichkeit seiner Abwesenheit, die in der personalen "An-ordnung" selbst liegt. Er zeigt sich nur durch seine Spur, wie im Kapitel 33 des Buches Exodus [des Alten Testaments]. Auf ihn zugehen heißt nicht, dieser Spur, die kein Zeichen ist, folgen. Es heißt, auf die Anderen zugehen, die sich in der Spur dieser Illeität[96], die ihren Ort jenseits der Berechnungen und der gegenseitigen Verhältnisse der Ökonomie und der Welt einnimmt, hat das Sein einen Sinn. Einen Sinn, der keine Finalität ist.

Denn es gibt hier kein Ende, keinen Endpunkt. Das Verlangen nach dem absolut Anderen kann nicht wie ein Bedürfnis in einem Glück verlöschen. (a.a.O.58-59)

Auf welche inhaltlichen Aspekte es bei Levinas ankommt, hat der Erste Teil deutlich gemacht. Die Konsequenzen einer Deutung des Menschen als Subjekt vom Anderen aus für das Denken und Handeln der Menschen unter gegenwärtigen Überlebens- und Lebensproblemen sind im Ersten Teil ebenfalls ausführlich erörtert worden. Der Text ist nicht einfach. Levinas versucht hier, die zentrale Bedeutung des Anderen im Denkrahmen der Phänomenologie[97] vom Antlitz des Anderen aus sichtbar zu machen. Aber es lohnt sich nach meinen Erfahrungen, sich mit dem Text auseinanderzusetzen. Auch für diejenigen, für die Antwortversuche auf letzte Fragen im Rahmen der jüdisch-christlichen Gottesrede keine Orientierung geben, kann an Levinas' Ausführungen deutlich werden:

---

[96] Illéité - Neologismus, gebildet vom lateinischen ille - jener.

[97] Phänomenologie (griech.) - Lehre von den Erscheinungen; Richtung der modernen Philosophie.

Im Gegensatz zu Spinozas (1632-1677) Satz: "Das Streben nach Selbsterhaltung ist die erste und einzige Grundlage der Tugend" geht Levinas von der Tradition der jüdisch-christlichen Gottesrede aus. Erst in ihr stelle sich die radikale Frage, "ob ich selbst schon vorhanden bin, bevor der Mitmensch entdeckt ist" (Hermann Cohen [1842-1918]). Der zentrale Gedanke der jüdischen Deutung des Menschen ist im Talmud (hebr. Lehre), der Sammlung der Gesetze und religiösen Überlieferungen des nachbiblischen Judentums aus den ersten fünf Jahrhunderten, so festgehalten: "Wenn ich nicht für mich bin, wer wird dann für mich sein? Aber wenn ich nur für mich allein bin - bin ich dann noch ich? Und wenn nicht jetzt, wann dann?" Diesen Satz verwendet Levinas als Motto eines Aufsatzes. Die biblische Rede vom Menschen als Bild Gottes und das für alle drei monotheistischen Religionen des Judentums, Christentums und Islams zentrale Gebot der Einheit von Gottes- und Nächsten-, ja Feindesliebe kann auch heute bei Antworten auf die Frage: Was ist der Mensch? nachdenklich machen.

III. Fragen über Fragen

Wer sich die Fragen und Antwortversuche des 'Grundkurses. Philosophische Anthropologie' erarbeitet hat, wird bei diesem ersten Zugang zu dem Problem: was ist der Mensch? etwa auf die folgenden Fragen sich und anderen antworten können. Bei einer weiteren intensiveren Auseinandersetzung mit den Fragen und Antwortversuchen muß der Stand der wissenschaftlichen Forschung mehr berücksichtigt werden.

Auf welchen Ebenen gibt die Anthropologie Antworten auf die Frage, was der Mensch ist?

Was sind letzte Horizonte des Lebens, Denkens, Handelns und Leidens? Wodurch unterscheiden sie sich?

Welche verschiedenen Deutungen der außermenschlichen und menschlichen Natur gibt es **am Beginn der europäischen Geschichte**?

Worin besteht die "Ungeheuerlichkeit" des Menschen bei Sophokles? Wie ist seine Stellung im Zusammenhang der Instanzen Natur, Kultur, Gott?

Wie wird der Mensch in den biblischen Geschichten verstanden?
- Bild Gottes
- Fall des Menschen

Wie wird nach Platons Prometheus-Mythos das physische Mängelwesen Mensch zum Menschen?

Worin bestehen Gemeinsamkeiten und Unterschiede bei den Deutungen des Menschen von Sophokles, in der Bibel und im Prometheus-Mythos Platons am Beginn der europäischen Geschichte?

Worin bestehen ihre Leistungsfähigkeit und ihre Grenzen?

Wie verändert sich das Selbstverständnis des Menschen **am Beginn der Moderne**?

Was bedeutet der neu gebildete Begriff Anthropologie?

Worin besteht Holbachs mechanistisch-materialistische Deutung des Menschen?
- seine Kritik anderer Vorstellungen
- Bedeutung der allgemeinen Naturgesetze
- Erfahrung als Grundlage der Erkenntnis

Wie verstehen Darwin und Monod den Menschen im Zusammenhang der Evolution?
- die physische, intellektuelle und moralische Entwicklung in der Evolutionstheorie Darwins
- in der weiterentwickelten Evolutionstheorie Monods

Wie sieht Camus den Menschen im Zusammenhang der sinnleeren Natur?
- absurde Existenz
- Quantität statt Qualität
- so intensiv wie möglich leben

Worin bestehen Gemeinsamkeiten und Unterschiede bei den modernen Deutungen des Menschen von Holbach, Darwin, Monod und Camus im Horizont Natur?

Worin bestehen ihre Leistungsfähigkeit und ihre Grenzen?

Was ist der gemeinsame Ausgangspunkt moderner Anthropologien im Horizont Kultur?

Was heißt Kants These: "Der Mensch ist durch seine Vernunft bestimmt, in einer Gesellschaft mit Menschen zu sein, und in ihr sich durch Kunst und Wissenschaften zu kultivieren, zu zivilisieren und zu moralisieren"?
- Bedeutung der Naturanlage und des freien Handelns
- technische, pragmatische, moralische Anlage des Menschen
- die Bestimmung die Menschen
- die Bedeutung der Geschichte für den Menschen

Wodurch überwindet nach Herder der Mensch seine Situation als "Mängelwesen"?
- Mängelwesen
- Besonnenheit
- Humanität

Wie versteht der junge Marx entfremdetes und nichtentfremdetes Leben im Zusammenhang menschlicher Arbeit?
- Gründe für die Entfremdung
- vier Formen der Entfremdung
- verschiedene Formen nichtentfremdeter Arbeit und nichtentfremdeten Lebens

Was meint Gehlen, wenn er sagt, der Mensch ist "Mängelwesen *und* Prometheus"?
- "physische Mittellosigkeit" der 'ersten Natur' des Menschen
- die 'zweite Natur' des Menschen: das "Kulturwesen"
- Begriff und Funktion der Institutionen

Warum sind heute angesichts der Orientierungslosigkeit von Menschen Institutionen (z.B. Familie, Rechts- und Verfassungsstaat, Kirchen, Bildungsinstitutionen) zum Leben und Überleben notwendig? Darf sich der Mensch jedoch "von den bestehenden Institutionen mit Haut und Haar konsumieren" lassen?

Worin bestehen Gemeinsamkeiten und Unterschiede bei der Deutung des "Mängelwesens" Mensch im Prometheus-Mythos Platons, bei Herder und bei Gehlen?

Was ist nach Plessner die Aufgabe der philosophischen Anthropologie heute?

Worin bestehen Gemeinsamkeiten und Unterschiede bei den modernen Deutungen des Menschen im Horizont Kultur von Kant, Herder, Marx, Gehlen und Plessner?

Worin bestehen ihre Leistungsfähigkeit und ihre Grenzen?

Worin besteht nach Pascal Größe und Elend des Menschen?
- die Stellung des Menschen "zwischen Engel und Tier"
- "Unbegreifbarkeit" bisherigen Sprechens über den Menschen
- Sinnlosigkeit der Welt
- Gründe für das Setzen auf Gott

Was verstehen die Bibel, Platons Prometheus-Mythos, Camus und Pascal unter der das Leben der Menschen bestimmenden außermenschlichen und menschlichen Natur?

Warum bedarf für Kant der Mensch bei seinem Bemühen, moralisch gut zu leben, der Mitwirkung Gottes?
- Gründe für das Setzen auf Gott
- Gründe für gutes Handeln
- Konquenzen des Festhaltens an der Vorstellung der Schöpfung
- mögliche "Revolution der Denkungsart"

Worin bestehen Gemeinsamkeiten und Grenzen bei den modernen Deutungen des Menschen im Horizont Gott von Pascal und Kant?

Worin bestehen ihre Leistungsfähigkeit und ihre Grenzen?

Welche Folgen haben die Modernisierungsprozesse für eine Neuorientierung angesichts der **gegenwärtigen Überlebens- und Lebensprobleme?**

Wo sucht der Mensch heute neue letzte Orientierungen?

Welche Bedeutung hat nach Nietzsche die Kunst für das Leben?

Was leisten nach Blumenberg der Mythos/"absolute Metaphern" für den Menschen?

Was heißt es nach Marquard, der Mensch ist "homo compensator"?

Worin bestehen die gegenwärtigen Bewegungen, die einen Abschied von der bisherigen Aufklärung zur Grundlage haben?

Was meint Skinners These: "Wir haben noch nicht erkannt, was der Mensch aus dem Menschen machen kann"?
- das Ich als Verhaltensrepertoire
- der 'Tod' des autonomen Menschen
- die Arbeit der "experimentellen Analyse" der Wissenschaften

Warum ist für Moravec die postbiologische Welt der 'Mind Children' wünschenswert?
- kulturelle Evolution durch künstliche Intelligenz
- die Begriffe Intelligenz, Rationalität, Geist

Worin bestehen Gemeinsamkeiten und Unterschiede in der mechanistischen Deutung des Menschen bei Holbach und Moravec?

Was ist nach Weizenbaum der Unterschied zwischen denkenden Menschen und denkenden Maschinen?
- enger und weiter Rationalitätsbegriff
- Stellung des Menschen im Universum in der jüdisch-christlichen Tradition und in den modernen Naturwissenschaften

- Entscheidungen durch Computer - verantwortliche Entscheidungen
- Grenzen der denkenden Maschinen

Worin bestehen Gemeinsamkeiten und Unterscheide der Antwortversuche von Skinner, Moravec und Weizenbaum angesichts der gegenwärtigen Überlebens- und Lebensprobleme?

Worin bestehen ihre Leistungsfähigkeit und ihre Grenzen?

Warum sind Jugendliche und ältere Menschen sowie die Öffentlich-
keit, vor allem das Fernsehen, so fasziniert von der Verhaltenstechnologie und von den rasanten Fortschritten der Computertechnik?

Gibt es auch bedenkliche Folgen dieser Fortschritte?

Welche Gründe sprechen für eine Weiterführung des Prozesses der
Aufklärung?

Welche Argumente führen Kolakowski, Popper, Putnam und Habermas an?

Worin besteht im Anschluß an Levinas die neue Deutung des Sub-
jekts vom Anderen aus?
- Unterschied von Verlangen und Bedürfnis
- Kritik verschiedener Deutungen des Anderen
- Verantwortung des Ich für den Anderen
- der Mensch als Gottes Ebenbild

Was bedeutet Gewissen haben für den Menschenn als Subjekt vom
Anderen aus?

Was heißt im Anschluß an Kant philosophisches Orientierungswissen?

Was sind letzte Fragen des Menschen nach sich selbst?

Was leisten philosophische Antwortversuche auf diese Fragen?

IV. Literaturhinweise

Eine reiche Auswahl (80 Titel) von kommentierten Allgemeinen Darstellungen, Text- und Aufsatzsammlungen zum Thema 'Anthropologie' gibt der bibliographische Anhang von: W. Oelmüller - R. Dölle-Oelmüller - C.-F. Geyer, Diskurs: Mensch, a.a.O. (Anm.1), 345-361. Außerdem werden hier zu den in dem Band behandelten Autoren auf das Thema des Bandes bezogene Kurzbiographien gegeben und möglichst unterschiedliche Interpretationen genannt und kommentiert. Der 'Bibliographisch-biographische Anhang' kann als Ergänzung der folgenden Liste dienen.

Cassirer, E., Was ist der Mensch? Versuch einer Philosophie der menschlichen Kultur, Stuttgart 1960

Dölle-Oelmüller, R., Philosophisches Orientierungswissen in Erziehung und Bildung, in: F. Hermanni - V. Steenblock (Hrsg.), Philosophische Orientierung. Festschrift zum 65. Geburtstag von Willi Oelmüller, München 1995, 163-186

Fahrenbach, H., Artikel 'Mensch', in: Handbuch philosophischer Grundbegriffe, hrsg. von H. Krings - H.M. Baumgartner - Ch. Wild, München 1973, 4,888-913

Gadamer, H.G. - Vogler, P. (Hrsg.), Neue Anthropologie, 7 Bde., Stuttgart 1972 ff.

Habermas, J., Philosophische Anthropologie (ein Lexikonartikel), in: Kultur und Kritik. Verstreute Aufsätze, st 125, Frankfurt a.M. 1975, 89-111

Hastedt, H. - Martens, E. (Hrsg.), Ethik. Ein Grundkurs, re 538, Reinbek bei Hamburg 1994. Darin die Artikel: E. Martens, Lebensformen (215-232), W. Oelmüller, Orientierung (233-250), D. Thomä, Existenz (251-269), E. Nordhofen, Glaube (270-287)

Landmann, M., u.a., De homine. Der Mensch im Spiegel seines Gedankens, Freiburg - München 1962

Lepenies, W. - Nolte, H., Kritik der Anthropologie, München 1971

Lévi-Strauss, C., Strukturale Anthropologie, st 15, Frankfurt a.M. 1967

Lübbe, H., u.a., Der Mensch als Orientierungswaise? Ein interdisziplinärer Erkundungsgang (mit Beiträgen von H. Lübbe, O. Köhler, W. Lepenies, Th. Nipperdey, G. Schmidtchen, G. Roellecke), Freiburg - München 1982

Marquard, O., Artikel 'Anthropologie', in: Historisches Wörterbuch der Philosophie, hrsg. von J. Ritter - K. Gründer, Basel-Stuttgart 1971, 1, 362-374

Mayr, E., Die Entwicklung der biologischen Gedankenwelt. Vielfalt, Evolution und Vererbung, Berlin u.a. 1984

Oelmüller, W., Philosophische Aufklärung. Ein Orientierungsversuch. München 1994

Oelmüller, W. - Dölle-Oelmüller, R. - Piepmeier, R., Diskurs: Politik, Philosophische Arbeitsbücher 1, UTB 723, Paderborn u.a. [4]1991

Oelmüller, W. - Dölle-Oelmüller, R. - Piepmeier, R., Diskurs: Sittliche Lebensformen, Philosophische Arbeitsbücher 2, UTB 778, Paderborn u.a. [4]1991

Oelmüller, W. - Dölle-Oelmüller, R. - Steenblock, V., Diskurs: Sprache, Philosophische Arbeitsbücher 8, UTB 1615, Paderborn u.a. 1991

Paetzold, H., Der Mensch, in: E. Martens - H. Schnädelbach (Hrsg.), Philosophie. Ein Grundkurs, 2 Bde., re 457, Reinbek bei Hamburg [2]1991, 426-466

Plessner, H., Conditio humana, Gesammelte Schriften Bd. 8, Frankfurt a.M. 1993

Plessner, H., Artikel 'Philosophische Anthropologie', in: Die Religion in Geschichte und Gegenwart, Tübingen [3]1986, 1, 410-414

Rapp, Ch., Wieviel Anthropologie braucht - wieviel Anthropologie vertägt die politische Theorie? Eine Problemskizze, in: Allgemeine Zeitschrift für Philosophie Jg. 20 (1995) H.3, 233-243

Roth, G., Das Verhältnis von Philosophie und Neurowissenschaften bei der Beschäftigung mit dem Geist-Gehirn-Problem, in: F. Hermanni - V. Steenblock (Hrsg.), Philosophische Orientierung, a.a.O., 139-151

Schnädelbach, H., Philosophie in der modernen Kultur, in: F. Hermanni - V. Steenblock (Hrsg.), Philosophische Orientierung, a.a.O., 25-40

V. Verzeichnis der Texte

Die heilige Schrift. Einheitsübersetzung, Stuttgart 1980

Sophokles, Antigone (V.332-375), übers. von W. Jens, in: Die Zeit, Nr.20 (1984)

Platon, Protagoras, in: Jubiläumsausgabe sämtlicher Werke, eingel. von O. Gigon, übers. von R. Rufener, Zürich-München 1974

Blaise Pascal, Über die Religion und über einige andere Gegenstände (Pensées), übertragen von E. Wasmuth, Heidelberg [8]1978, (Pensées 144, 146, 358, 431, 347, 253, 283, 443, 325)

Paul Henri Thiry Baron d'Holbach, System der Natur, Berlin 1960, 6. Kap., 60-72

Johann Gottfried Herder, Abhandlung über den Ursprung der Sprache, in: J. G. Herder, Zur Philosophie der Geschichte, hrsg. von W. Harich, Berlin 1952, Bd. 1, 348-356

Immanuel Kant, Anthropologie in pragmatischer Hinsicht, in: Werke in sechs Bänden, hrsg. von W. Weischedel, Darmstadt [4]1975, Bd. 6, 673-685; Die Religion innerhalb der Grenzen der bloßen Vernunft, a.a.O., Bd. 4, 667-668, 698-704

Karl Marx, Philosophisch-ökonomische Manuskripte und Exzerpthefte, in: Karl Marx/Friedrich Engels, Werke (MEW), hrsg. vom Institut für Marxismus-Leninismus beim ZK der SED, Ergänzungsband. Schriften - Manuskripte - Briefe bis 1844, Erster Teil, Berlin 1968, 510-520; 462-463

Charles Darwin, Die Abstammung des Menschen, übers. von H. Schmidt, Leipzig o.J., 143-148

Friedrich Nietzsche, Aus dem Nachlaß der achtziger Jahre, in: Werke in drei Bände, hrsg. von K. Schlechta, München 1966, 691-694

Arnold Gehlen, Ein Bild vom Menschen; Mensch und Institutionen, in: Anthropologische Forschung, rde 138 Reinbek bei Hamburg 1961, 46-48, 70-73

Albert Camus, Der Mythos von Sisyphos. Ein Versuch über das Absurde, hrsg. von E. Grassi, übertragen von H. G. Brenner und W. Rasch, rde 90, Reinbek bei Hamburg 1959, 23, 29, 47, 54-56

Jacques Monod, Zufall und Notwendigkeit. Philosophische Fragen der modernen Biologie, übers. von F. Giese, München [3]1971, 197-211

Helmuth Plessner, Artikel 'Philosophische Anthropologie', in: Die Religion in Geschichte und Gegenwart, Tübingen [3]1986, Bd. 1, 410-414

Odo Marquard, Homo Compensator, in: Diskurs: Mensch, a.a.O., 317-329

Burrhus Frederic Skinner, Jenseits von Freiheit und Würde, übers. von E. Ortmann, Reinbek bei Hamburg 1973, 203-206, 220

Hans Moravec, Mind Children. Der Wettlauf zwischen menschlicher und künstlicher Intelligenz, übers. von H. Kober, Hamburg 1990, 9-10, 11-15

Joseph Weizenbaum, Die Macht der Computer und die Ohnmacht der Vernunft, übers. von U. Rennert, Frankfurt a.M. 1977, 25-27, 28-30, 299-300

Emmanuel Levinas, Die Spur des Anderen, in: Humanismus des anderen Menschen, übers. und eingel. von L. Wenzler, Hamburg 1989, 37-40, 43, 58-59

VI. Namensregister

UTB
FÜR WISSEN SCHAFT

Auswahl Fachbereich
Philosophie

6 Bocheński:
Die zeitgenössischen Denkmethoden
(Francke). 10. Aufl. 1993.
DM 16.80, öS 124.–, sFr. 16.80

34 Menne: Einführung in die Logik
(Francke). 5. Aufl. 1993.
DM 16.80, öS 124.–, sFr. 16.80

146 Speck (Hrsg.): Grundprobleme
der großen Philosophen –
Altertum und Mittelalter
(Vandenhoeck). 4. Aufl. 1990.
DM 24.80, öS 184.–, sFr. 24.80

183 Speck (Hrsg.): Grundprobleme
der großen Philosophen –
Philosophie der Gegenwart II
(Vandenhoeck). 3. Aufl. 1991.
DM 25.80, öS 191.–, sFr. 25.80

464 Speck (Hrsg.): Grundprobleme
der großen Philosophen –
Neuzeit II
(Vandenhoeck). 3. Aufl. 1988.
DM 25.80, öS 191.–, sFr. 25.80

723 Oelmüller/Dölle-Oelmüller/
Piepmeier (Hrsg.):
Philosophische Arbeitsbücher 1
Diskurs: Politik
(Schöningh). 4. Aufl. 1991.
DM 32.80, öS 243.–, sFr. 32.80

725 Rousseau:
Diskurs über die Ungleichheit
(Schöningh). 3. Aufl. 1993.
DM 39.80, öS 295.–, sFr. 39.80

778 Oelmüller/Dölle-Oelmüller/
Piepmeier (Hrsg.):
Philosophische Arbeitsbücher 2
Diskurs: Sittliche Lebensformen
(Schöningh). 4. Aufl. 1991.
DM 31.80, öS 235.–, sFr. 31.80

1000 Salamun: Was ist Philosophie?
(J.C.B. Mohr). 3. Aufl. 1992.
DM 25.80, öS 191.–, sFr. 25.80

1104 Oelmüller/Dölle-Oelmüller/
Rath: Philosophische Arbeitsbücher
Bd.: 5 Kunst und Schönes
(Schöningh). 2. Aufl. 1993
DM 32.80, öS 243.–, sFr. 32.80

1108 Speck (Hrsg.): Grundprobleme
der großen Philosophen –
Philosophie der Gegenwart IV
(Vandenhoeck). 2. Aufl. 1991.
DM 24.80, öS 184.–, sFr. 24.80

1136 Adomeit:
Rechts- und Staatsphilosophie 1
(R. v. Decker). 2. Aufl. 1992.
DM 26.80, öS 198.–, sFr. 26.80

1138 Rehfus: Einführung in das
Studium der Philosophie
(Quelle & Meyer). 2. Aufl. 1992.
DM 34.80, öS 258.–, sFr. 34.80

1183 Speck (Hrsg.): Grundprobleme
der großen Philosophen –
Philosophie der Gegenwart V
(Vandenhoeck). 2. Aufl. 1992.
DM 25.80, öS 191.–, sFr. 25.80

1252 Speck (Hrsg.): Grundprobleme
der großen Philosophen –
Philosophie der Neuzeit III
(Vandenhoeck). 1983.
DM 26.80, öS 198.–, sFr. 26.80

1277 Oelmüller/Dölle-Oelmüller/
Geyer: Philosophische Arbeits-
bücher 6 Diskurs: Metaphysik
(Schöningh). 2. Aufl. 1995
DM 32.80, öS 243.–, sFr. 32.80

Preisänderungen vorbehalten.

UTB
FÜR WISSEN
SCHAFT

Auswahl Fachbereich
Philosophie

1308 Speck (Hrsg.): Grundprobleme
der großen Philosophen –
Philosophie der Gegenwart VI
(Vandenhoeck). 2. Aufl. 1992.
DM 26.80, öS 198.–, sFr. 26.80

1320 Wuchterl:
Lehrbuch der Philosophie
(Paul Haupt). 4. Aufl. 1992.
DM 25.80, öS 191.–, sFr. 25.80

1379 Oelmüller/Dölle-Oelmüller/
Geyer (Hrsg.):
Philosophische Arbeitsbücher 7
Diskurs: Mensch
(Schöningh). 3. Aufl. 1993.
DM 36.80, öS 272.–, sFr. 36.80

1390 Wuchterl: Grundkurs:
Geschichte der Philosophie
(Paul Haupt). 2. Aufl. 1990.
DM 28.80, öS 213.–, sFr. 28.80

1414 Meyer:
Nietzsche und die Kunst
(Francke). 1993.
DM 36.80, öS 272.–, sFr. 36.80

1434 Marx:
Phänomenologie Edmund Husserls
(W. Fink). 2. Aufl. 1989.
DM 19.80, öS 147.–, sFr. 19.80

1609 Albert:
Traktat über kritische Vernunft
(J.C.B. Mohr). 5. Aufl. 1991.
DM 19.80, öS 147.–, sFr. 19.80

1615 Oelmüller/Dölle-Oelmüller/
Steenblock (Hrsg.):
Philosophische Arbeitsbücher 8
Diskurs: Sprache
(Schöningh). 1991.
DM 34.80, öS 258.–, sFr. 34.80

1623 Speck (Hrsg.): Grundprobleme
der großen Philosophen –
Philosophie der Neuzeit V
(Vandenhoeck). 1991.
DM 26.80, öS 198.–, sFr. 26.80

1637 Pieper:
Einführung in die Ethik
(Francke). 2. Aufl. 1994.
DM 32.80, öS 243.–, sFr. 32.80

1648 Wils/Mieth:
Grundbegriffe der christlichen Ethik
(Schöningh). 1992.
DM 30.80, öS 228.–, sFr. 30.80

1652 Hofmeister:
Philosophisch denken
(Vandenhoeck). 1991.
DM 39.80, öS 295.–, sFr. 39.80

1654 Speck (Hrsg.): Grundprobleme
der großen Philosophen –
Philosophie der Neuzeit VI
(Vandenhoeck). 1992.
DM 25.80, öS 191.–, sFr. 25.80

1661 Strombach: Einführung
in die systematische Philosophie
(Schöningh). 1992.
DM 26.80, öS 198.–, sFr. 26.80

1666 Seiffert:
Einführung in die Hermeneutik
(Francke). 1992.
DM 32.80, öS 243.–, sFr. 32.80

Preisänderungen vorbehalten.

Das UTB-Gesamtverzeichnis erhalten Sie bei Ihrem Buchhändler oder
direkt von UTB, Postfach 80 11 24,
70511 Stuttgart.